iyi ki kitap

MISSION: SURVIVAL

KURT YOLU

GENÇ
T
TİMAŞ

● TİMAŞ YAYINLARI ●
İSTANBUL 2017

KURT YOLU

Yayın Yönetmeni	Savaş Özdemir
Editör	Merve Okcu
Çeviri	Mustafa Emrah Temel
Kapak Tasarımı	Erdi Demir
İç Tasarım	Tamer Turp

1. Baskı	Eylül 2017
Uluslararası Seri No	ISBN: 978-605-08-2610-4

9 786050 826104

TİMAŞ YAYINLARI

Adres	Cağaloğlu, Alemdar Mah. Alay Köşkü Cd. No:5 Fatih/İstanbul
Telefon	(0212) 511 24 24
Posta	P.K. 50 Sirkeci/İstanbul
E-posta	bilgi@genctimas.com

Baskı ve Cilt	Sistem Matbaacılık
Sertifika No	16086
Adres	Yılanlı Ayazma Sok. No:8 Davutpaşa-Topkapı/İstanbul
Tel	(0212) 482 11 01

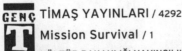

TİMAŞ YAYINLARI / 4292
Mission Survival / 1
KÜLTÜR BAKANLIĞI YAYINCILIK SERTİFİKA NO: 12364

BEAR GRYLLS

KURT YOLU

BEAR GRYLLS

Bear Grylls, hayatta kalma ve macera konularında dünyanın en ünlü isimlerinden biri hâline geldi. Everest'e tırmandı; Sahra Çölü'nü aştı, Birleşik Krallık'ın etrafını jet-ski ile dolaştı! Bunların yanısıra Britanya'da tarihin en geç baş izcisi unvanına sahip oldu! Bear Grylls'in televizyon dizisi İnsan Doğaya Karşı, tahmini 1.2 milyar seyircisi ile gezegenin en çok izlenen programlarından biri oldu. Bear, Londra'da eşi Shara ve çocukları Jesse, Marmaduke ve Huckleberry ile birlikte yaşıyor.

Özel bir çocuk olan, en büyük oğlum Jesse'ye...

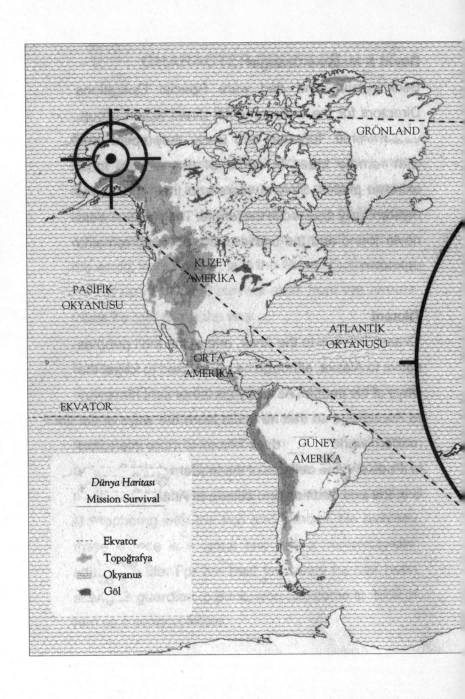

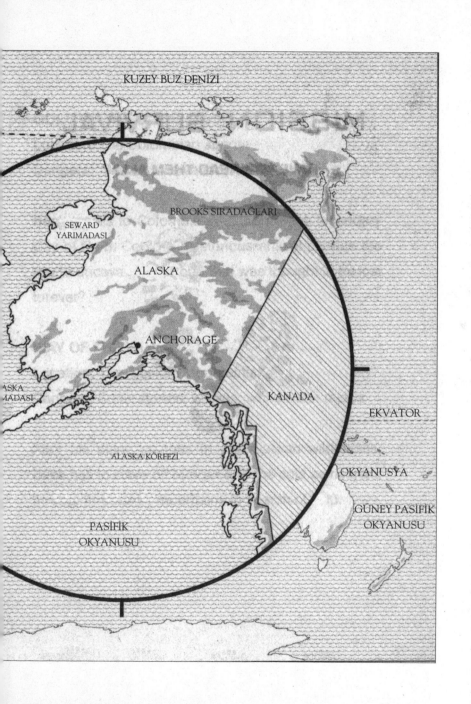

BÖLÜM 1

Küçük uçak, arazinin üzerinde masa örtüsünün üstünde uçan bir sinek gibi süzülüyordu.

Beck Granger, yüzlerce metre aşağısında gelişigüzel uzanan Alaska'nın el değmemiş bitki örtüsünü seyretti. Bahardı ve buzullar neredeyse erimişti. Kısa bir zaman önce her yerde buz ve kardan oluşan yumuşak bir beyazlık hâkimdi. Şimdi ise çam ağaçlarını, otlakları ve bataklıkları görebiliyordu. Dere ve nehirlere karışan kar suları kristal bir berraklıkla çağlıyordu. Yeşilin bin bir tonu ince gümüşten iplerle birbirine bağlanmış gibiydi.

Beck yüzünü cama dayadı. Uçağın tek pervanesini ancak karaltı şeklinde görebiliyordu. Uçak Cesna 180 modeldi. Beck'in amcası Al önde pilotun yanında oturuyor, bu modelin kuzeyde yük beygiri yerine kullanıldığından bahsediyordu.

Uçağın aerodinamik gövdesi, tek bir kanat üstünde asılı tombul bir balığı andırıyordu. Kabinde toplam altı koltuk olmasına rağmen şu an sadece üç yolcu ve pilot vardı. Uçağın arka tarafıysa çanta ve ekipmanlarla doluydu.

Uçaktaki diğer herkes gibi Beck de dolgulu büyük bir kulaklık takmıştı. Motorun çıkarttığı ses yüzünden bu kulaklıklar olmadan herhangi bir konuşma yapmak imkânsız olurdu. Hatta kulaklıklara rağmen motorun sarsıntı ve uğultusu bağırsaklarında bir kurutma makinası çalışıyormuş hissi uyandırıyordu.

Kulaklarındaki cızırtının artması, pilotun mikrofonu açtığı anlamına geliyordu.

"Seyahatimize bir saat daha ekliyorum beyler." Pilotumuz orta yaşlı, kısa ama sağlam yapılı ve neşeli bir kadındı. Bu yabani hayatın içinde bir ev kurabilen insanların soyundan geldiğini anlayabilirdiniz. "Önümüzde, dağların üstünde kötü bir hava var ve sağ tarafından arkasına geçmeyi düşünüyorum. Bu fırtına küçük uçağımız için çok fazla."

Kulaklarındaki cızırtı tekrar azaldı ve o an uçak sarsılmaya başladı.

"Anlaşıldı, tamam." dedi Beck, ama mikrofonunu açmadığı için sesi motorların uğultusunda kayboldu.

Uçak döndü ve yandaki pencerelerin manzarasında dağlar belirdi. Beck dışarıyı izliyordu. Karlar sadece belli bir bölgeye kadar erimişti. Belki de daha yüksekteki yerlerde kar hiç erimeyecekti. Ağaçlar da kısmen yükselebilmişlerdi ve dağlar sanki omuzlarını silkelemiş de ağaçların hücumunu engellemişçesine aniden düzensiz bir sınır oluşturarak durmuştu. Ardından beyaz ince ve kardan yapılmış bir örtünün altından gökyüzüne uzanan gri bir kaya parçası görünüyordu.

Fırtına dağın tepesine kurulmuş ve karanlıkta kaybolmuş vahşi bir yaratığın kutlama yapması gibi zirvedeki bulutları fırıl fırıl çeviriyordu. Kelimenin tam manasıyla doğal bir afet gücündeydi.

Beck, pilotun neden küçük uçaklarını fırtınaya karşı riske atmak istemediğini görebiliyordu. Tıpkı vahşi doğada aniden bir ayıyla karşı karşıya gelmek gibiydi bu. Şansını zorlamak yerine başka bir yol seçersin kendine. Böylece her iki taraf da hayatına mutlu bir şekilde devam edebilir.

Artan radyo paraziti pilotun tekrar konuşacağı anlamına geliyordu.

"İyi haber, fırtına üzerimize doğru gelmiyor. Bizden gittikçe uzaklaşıyor, yine de yetişmek istemiyorum fırtınaya. Dolambaçlı bir yol izleyeceğim ve bu yüzden biraz gecikeceğiz. Umarım Anakat tüm bu zahmete değer."

"Değecek" dedi Al Amca. "Güven bana."

Gidecekleri yer, Anakat, Alaska'nın batı sahil şeridinde, Bering Denizi'nin üstünde kalıyordu.

"Birkaç kere oraya inmiştim." diye devam etti pilot. "Bildiğiniz gibi oradaki yaşlıların sözlü gelenekleri yüzyıllar öncesine dayanır. Bütün geçmişlerini bir çırpıda anlatabilirler size. Tüm bu araziyi avuçlarının içi gibi bilirler."

"Onlarla tanışmak için sabırsızlanıyorum." diyerek katıldı Al Amca. Beck'e göz kırpmak için koltuğunun arkasından baktı. Beck de gülümseyerek karşılık verdi. İkisi de bu yolculuğun sıradan bir gezinti olmadığını biliyordu.

Al Amca aslında hiçbir zaman gezintiye çıkmazdı, bütün yolculuklarının bir amacı olurdu. Dünyanın geri kalanı için bir antropolog, bir televizyon karakteri ve çevre sorunlarına duyarlı Profesör Sör Alan Granger'dı. Beck'in anne ve babası hayattayken çevreci eylem grubu, Yeşil Güç adına dünyayı gezerken onu hep yanlarında götürmüşlerdi. Şimdi Al, Beck'in babasının küçük kardeşi, bu görevi sürdürmeye kararlıydı.

Bir defasında "Okul müfredatına saygısızlık etmek istemem ama bu yolla daha çok şey öğreneceksin." demişti Beck'e.

Beck, bu konuşmayı bir Aborjin topluluğuyla birlikte yaşamak için Avustralya'daki taşraya uçtukları sırada yaptıklarını hatırladı.

Dışarıdaki manzaraya tekrar baktı. Batı Avustralya'nın kavrulmuş çöllerinden farklı görünüyordu ama benzeyen tarafları da yok değildi. Burası da doğanın hüküm sürdüğü bir dünyaydı. Onun sözü kanundu. Tedbirsiz bir insan evladını kaybolabilir ve bir daha görünmeksizin kayıplara karışabilirdi. Güzel olduğu kadar gaddar ve saldırgandı.

Fakat önceden hazırlanmış bir insan... Ah, işte bu çok farklı olurdu. Hazırlıklı bir insan doğayla uyum içinde yaşayabilir ve başka hiçbir şeye ihtiyaç duymazdı. Alaska'dan Grönland'a kadar kuzey enlemindeki bölgeye yayılmış olan Eskimolar binlerce yıldır bunu başarabilmişlerdi. Anakat kültüründe sözlü anlatım geleneği bu yüzden çok önemliydi. Tüm bunları kitaplardan veya internetten asla öğrenemezdiniz. Öğrenmek için orada yaşamak zorundaydınız.

KURT YOLU

Beck ve Al Amca Londra'dan Seattle'a uçuşlarında yeni bir model olan geniş gövdeli bir yolcu uçağıyla uçmuşlardı. Seattle-Tacoma Uluslararası Havaalanı küçük bir uzay çağı şehrine benziyordu, ışıltılı ve modern. Daha sonra Anchorage'a gitmek için daha küçük ve kalabalık bir uçak buldular. Son olarak Cessna tipi uçakla yaptıkları dört saatlik bir yolculuğun ardından binlerce yıldır hiçbir değişime uğramadan kalan bu bölgeye ulaşabilmişlerdi. Beck, yolculuğun her aşamasında 21.yüzyıl'a ait olan ihtiyaç duymadığı bir yükten daha kurtulduğunu hissetmişti.

Biri kolundan çekiştirdi. Beck uçağın üçüncü yolcusuna bakmak için başını pencereden çevirdi. 21.yüzyıl'ın en büyük hayranıydı bu kişi.

Tikaani, Beck'in hemen yanındaki koltukta oturuyordu. Beck gibi o da on üç yaşındaydı. Kusursuz bir Amerikan aksanı olmasına rağmen yüz hatları ve parlak siyah saçları, atalarının geldiği yeri söyleyebilirdi.

Soyu bölgenin yerel Eskimo halklarından birine, Anak'lara dayanıyordu. Aslında Tikaani'nin babası Anakatlar'ın lideriydi. İleri görüşlü bir adamdı ve köylerinin dünyadan izole bir şekilde kalamayacağına karar vermişti. Birinin dışarı çıkıp modern dünyanın nasıl işlediğini öğrenmesi gerekiyordu. Bu yüzden Tikaani'yi Anchorage'daki bir okula göndermişlerdi. Beck ve Al Amca orada durdukları zaman, Al'ın Anakat'taki bağlantılarının, çocuğu da yanınıza alabilir misiniz ricası üzerine yolculuklarının son ayağına dâhil olmuştu.

Telsizi kullanmak yerine Beck'in yanına iyice yaklaşıp kulaklığını kaldırıp bağırarak konuştu.

"Nereye bakıyorsun?"

Beck kulaklığını Tikaani'nin yanına bırakarak, "manzaraya" diye seslendi. "Muhteşem!"

"Hı- hı…" Tikaani boynunu uzatarak Beck'in penceresinden dışarıya doğru baktı, fakat yüzünde sadece kibar bir ilgi ifadesi vardı.

Dostça görünmeye çalışıyordu. Aşağıda neredeyse hayatının her günü gördüğü manzara haricinde bir şey yoktu. "Aynen." Geri götürmek üzere Anchorage'dan ödünç aldığı iPod'unun ince gümüş renkli plastik kablosunu sallıyordu. "Şarkıları karışık çalmak için ne yapıyorsun?"

Beck gözlerini devirmek isteğiyle mücadele etti. Tikaani'nin elindeki iPod'u nazikçe aldı ve ekrandaki özellikler menüsüne nasıl ulaşabileceğini gösterdi.

"Teşekkürler!"

Tikaani bir kez daha koltuğunun arkasına yaslandı. İnce iPod kablosu kulaklığın dolgusunun altında gözden kayboldu. Beck kendi kendine gülümseyerek kafasını salladı. Tikaani'nin babasının, oğlunun modern dünyanın işleyişi hakkında bir şeyler öğrenmesi hakkındaki planı biraz fazla başarılı olmuştu. Beck, Tikaani'nin, Anak soyuna rağmen, memnuniyetle Anakat kültürünü ve sözlü geleneklerini derin ve karanlık bir kuyuya atıp geride bırakabileceğinden endişe duydu.

Belki bir şans yakalayabilirdi, çünkü hayatı Tikaani'nin babasının hayal bile edemeyeceği şekilde değişmek üzereydi. İki yıl önce dev petrol şirketi Lumos Petroleum'dan gelen bilirkişiler Anakat'ın işlenmemiş devasa petrol yataklarının tam olarak üzerinde olduğunu öğrenmişlerdi.

Önemli konuların konuşulduğu köy toplantılarında tabii ki çok uluslu bir petrol şirketi atalarının topraklarını almak ister ve yaşam tarzlarını yok ederek onları göç etmek zorunda bırakırsa ne yapabilecekleri tartışılmıştı... ve herkese göz boyamak için teklif ettikleri hediyeler, çocuklar ve kadınlar için bütün modern imkânlara sahip yeni tarz evler ve banka hesaplarında istediğin kadar iPod almanı sağlayabilecek paralar...

Beck, Tikaani'nin de özellikle buna taraftar olacağını biliyordu. Taşınmak için sabırsızlanıyordu. Anakat'daki yetişkinler içinse durum bu kadar net değildi.

Lumos'un teklifleri çoğu insanın isteklerinde ilk sıralarda yer almadığından pek bir anlam ifade etmiyordu. Sözlü anlatı gelenekleri sayesinde yaşam tarzlarını değiştirdiklerinde kaybedebileceklerinin bir fiyatı olmadığını Lumos'un muhasebecilerinin asla anlayamayacağı şekilde biliyorlardı.

Bu yüzden Al Amca oradaki köy ve geleneksel Anak yaşam tarzıyla ilgili bir televizyon belgeseli çekmek istiyordu. Her şey değişse bile en azından geride bazı kayıtlar kalacaktı. Daha da önemlisi, bu belgesel sayesinde çok daha fazla insan orada neler yaşandığından haberdar olabilirdi.

Aniden gürültülü bir sesle uçak sallandı. Beck kollarını koyduğu dayanağı sıkıca kavradı. Uçak tekrar dengesini sağladı. Motor hâlâ sorunsuz çalışıyordu. Tikaani, gözleri ileride dimdik bir şekilde otururken yüzü solgundu. Beck zorla gülümsedi. "Vaay! "Hava boşluğuna girmiş olmalıyız ama nasıl?" Bir an böyle düşünmüştü.

Motor tekledi ve uçak tekrar sarsıldı. Beck penceresinin yanından geçen koyu duman izini fark etti. Motordan geliyordu. Dondurucu havada masum ince bir izden, koyu bir buluta doğru kalınlaşıyordu duman.

Uçak belirgin şekilde bir tarafa doğru eğiliyordu. Tekrar dengeyi buldular, fakat Beck sallantıyı içinde hissedebiliyordu. Uçak süratle düşüyordu.

"Bir şeyler patladı." Pilotun kulaklıktan gelen sakin ses tonu gitmiş yerini profesyonel canlılıkta bir ses almıştı. "Yağ motora ulaşamadığı için sıcaklığı çok fazla yükseldi. Uçağın burnunu aşağı doğru eğeceğim. Umarım hava motoru yeterince soğutur böylece tekrar çalıştırabiliriz."

"Umarım mı?!" Beck çığlık atmak istedi. Uçak yere çakılırken bundan biraz daha somut bir şeyler yapılabilmeliydi...

Telsiz paraziti kesildi ve Beck'in kulaklarında geriye sadece kendi kanının akış sesi kaldı. Motor durmuştu. Hiç ses yoktu, sarsılmalar durmuştu. Kulaklıklarını çıkardı. Uçağın gövdesinin ötesinde rüzgâr hızla esiyordu.

Ön pencereden görebildiği tek şey toprak zemindi. Beck pilotun sakin ve ısrarlı sesini duyabiliyordu. "Acil durum çağrısı, acil durum çağrısı. Anchorage, Golf Mike Oscar konuşuyor..."

"Beck..."

Beck zorlukla duyabildi. Gözlerini yaklaşmakta olan ağaçlara dikmişti. *Bunları yaşamış olmalıydılar...*

"Beck!" Al Amca oturduğu yerden geriye doğru dönmüştü ve haykırışı Beck'i derin düşüncelerinden uyandırdı. "Sen de Tikaani."

Tikaani de sersemlemiş bir tavşan gibi hareketsiz duruyordu. Al, çocuğun dikkatini çekebilmek için yüzüne doğru parmaklarını şaklatmak zorunda kaldı.

"Siz ikiniz acil durum pozisyonunu biliyorsunuz. Hemen uygulayın."

Beck and Tikaani birbirlerine kısa bir bakış attı ve sonrasında konuşmadan oturdukları yerden ikisi de öne doğru iki büklüm eğilip kollarını dizlerine dolayıp beklemeye başladılar. Beck'in Tikaani'nin kafasından geçenler hakkında hiçbir fikri yoktu fakat kendi düşünceleri beyninde yankılanmaya devam ediyordu.

Anneciğim ve babacığım da bunları yaşamış olmalıydılar.

Üç sene önce böyle bir uçaktaydılar. Bir kaza olmuştu ve ormana düşmüşlerdi. Uçak bulunduğu hâlde onlara ulaşılamamıştı. Ölmüş olduklarını kabul ettiler.

Uçak kazasının anlık bir şey olmadığı fikri Beck'in aklına daha önce hiç gelmemişti.

Gökyüzünden düşen bir şeyin yere ulaşması zaman alır. Bu esnada tüm yapabileceğiniz beklemek ve zemine yaklaştığınızı düşünmemektir.

Motor tekrar gürleyerek çalıştı ve pilot lövyeyi geriye doğru çekti. Uçak aniden burnunu kaldırınca muazzam bir güçle Beck'i koltuğunun arkasına yapıştırdı.

Tikaani zaferle bağırdı. Beck uçağın düz uçuşa geçtiğini hissetti ve tam kafasını kaldırdığı an önlerinde yükselmekte olan ağaçları gördü. Ağaçlara çarparak ilerliyorlardı...

BÖLÜM 2

Beck'in hafızası parça parça bir araya geliyordu. Uçağın dışındaydı, yerde yuvarlanırken üstü başı toprağa bulanmıştı. Bedeni bir devin yumruğu kadar kuvvetli bir güçle dövülmüş gibiydi. Acı, gürültü ve karanlık.

Beck daha önce hiç esaslı bir dayak yediğinden emin değildi ama tekrar düzgün düşünmeye başladığında ilk aklına gelen şey, sağ olduğuydu! Kafası zonkluyordu. Vücudu hırpalanmıştı ve yara bere içindeydi. Neyse ki uçak hareket etmeyi bırakmıştı ve nefes alabiliyordu.

Yandaki inleme sesleri sayesinde Tikaani'nin de hayatta olduğunu anladı. Diğer çocuk da onun gibi yavaş yavaş kendine geliyordu.

"Nasılsın?" diye sordu Beck. Tikaani tekrar inleyerek başını tuttu. Çocuğun hareket ederken herhangi bir gözyaşı dökmemesi veya iç geçirmemesi Beck'e çocuğun kırık kemiği olmadığını anlatmaya yetti.

Beck, üstünün enkaz parçalarıyla kaplandığını fark etti. Uçak parçaları, plastik parçaları… Bir parça aldı ve kaşlarını çattı. Tahta mı?

Beck yavaşça doğruldu ve ileriye baktı.

Uçak bir çalı kütlesinin içine doğru sürüklenmişti. Doğa tarafından istiflenmiş ölü ağaçlar ve dallar... Uçağın ön tarafı paramparça olmuş ve parçalar geriye doğru yolcuların üstüne savrulmuştu.

"Al Amca?" diye seslendi Beck. Ön koltuklarda, Al ve pilot başları öne düşmüş şekilde oturuyorlardı. Hareketsizdiler. Beck uçağın ön tarafının çarpmadan en çok etkilenen yer olduğunu fark edince yüreğinde korkunç bir sızı hissetti. Onlar daha çok etkilenmiş olmalıydılar. Koltuğundan kalkmak için mücadele etti. Sancı ve yaralarına aldırmadan ön tarafa doğru ilerledi.

Dört önceliği zihninde tekrar sıraladı: Nefes, Kanama, Kırık ve Yanık. İşaret ve orta parmağını âdem elmasının sadece bir tarafına gelecek şekilde Al'ın boğazına dayadı. Rahatlamış bir hâlde soluğunu bıraktı. Zayıf ama düzenli bir nabız vardı.

Sonra aynısını pilot için de yaptı, boynuna ulaşmak için saçlarını geriye doğru itti. Hiçbir şey yoktu. Ümitsizce tekrar denedi fakat kadının bedeninin soğumaya başladığını hissedebiliyordu. Ne olduğunu görebilmek için isteksizce kafasını biraz daha öne uzattı. Çarpmanın şiddetiyle kontrol lövyesi direkt geriye itilmişti. Göğüs kafesine çarpmış, muhtemelen anında ölümüne sebep olmuştu.

Kontrol paneli komple harap olmuştu. Telsiz kablo yumağının içinden aşağı sarkıyordu. Yardım çağırmak için kullanılamazdı.

KURT YOLU

Şimdi öne doğru eğildikçe Al'ın bacaklarının kırmızıya bulandığını görebiliyordu.

Amcasının dizinin üzerinde hiç hoş gözükmeyen bir yarık vardı ve şiddetle kanıyordu. Bu sorunun hemen çözülmesi gerekiyordu.

Tikaani cam gibi bir bakışla çevresine bakınıyordu. Hâlâ kendini tam olarak toplayamamıştı. Beck'i aniden Tikaani'nin beyin sarsıntısı geçiriyor olabileceği şüphesi kapladı. Kırık kemiği veya iç kanaması olmasa bile tedavi edilmeyen bir beyin hasarı da onu öldürebilirdi.

Askeri okuldaki eğitimi esnasında öğrendiği ilk yardım dersini hatırladı.

"Beyin sarsıntısı için dört testimiz var beyler."

Sağlık eğitmeni önlerinde bir aşağı bir yukarı yürürken sözlerini tam hedefi bulmak için ateşlenmiş bir silah gibi vurguluyordu. "Kafa karışıklığı! Hafıza! Odaklanma! Sinir sistemi! Lütfen tekrarlar mısınız, Bay Granger."

"Ihhh..." demişti şaşkınlıkla Beck. Adam hoşnutsuz bir ifadeyle gülümsemişti. "Hafıza kaybı veya muhtemel bir kafa karışıklığı, ya da sadece odaklanma sorunu. Bay Granger beyin sarsıntısı geçiriyor, beyler. Kötü bir başlangıç..."

Eğer Tikaani'nin durumu kötü değilse, Beck ondan yardım alabilirdi. Eğer beyin sarsıntısı geçiriyorsa Beck'in tek yapabileceği dinlenmesine yardımcı olmaktı. Beck şimdi ne olduğunu öğrenmek zorundaydı. Tikaani'yle yüz yüze gelebilmek için arkaya tırmandı ve çocuğun kafasını kavradı, gözlerinin içine bakabilmek için onu çevirdi. Göz bebeklerinin aynı boyutta olması iyiye işaretti. Bu ilk sinir sistemi testiydi.

"Adın ne?" diye sordu Beck.

Kafa karışıklığı içinde cevap verdi.

"Şeey... Tikaani..."

Beck odaklanma testine geçti: "Aralık'tan başlayarak geriye doğru ayları saymanı istiyorum."

"Şey..." Tikaani'nin yüzü dikkatle buruştu. "Aralık... Kasım... Eyl- hayır, Ekim..."

"Tamam, tamam." Beck kafasını bıraktı. "Gözlerini kapat ve burnuna dokun.' Bu da sinir sistemi testiydi.

Tikaani tam olarak kendine söyleneni yaptı.

Sonra gözlerini açtı ve Beck'in de burnunu dürttü. "Bunu da yapabiliyorum" dedi. Beck sırıttı. Hatırlayabildiği başka bir test kalmamıştı. Zaten Tikaani'nin zihinsel faaliyetleri sağlam ve sorunsuz çalışıyor gibiydi.

"Evet, sen iyisin," tekrar onaylarken Beck rahatlamıştı. "Al Amca'yı buradan çıkarmalıyız. Hadi gel dışarıya bir göz atalım."

Kapıya ulaşmak için Al'ın yanından geçmek zorundaydı. Açmayı denedi fakat sağlam bir şekilde sıkışmıştı. Daha güçlü itti fakat dışarıdaki çalılığın buna izin vermediğini fark etti. Pilotun kapısı da aynı durumdaydı. Bu kapıları açabilmesi imkânsızdı. Dışarıya çıkmak için tek yol parçalanmış ön pencereden geçmekti.

Beck uçağın gövdesinin üst tarafında, ayakta dikilene dek yavaş hareketlerle uçağın önünden dışarıya çıkmak için uğraştı. Kabindeki kapalı alandan dışarı çıktıktan hemen sonra soğuk rüzgârı hissetti ve ürperdi.

Uçakta hepsinin kalın montları vardı ve onlara ihtiyaçları olacaktı. Nerede olduklarının anlamak için etrafa baktı.

Uçak yarıya kadar kurumuş çalılara gömülmüştü. Çevresine bakındığında tundra ve çam ağaçlarından oluşan bir bölgenin bir ucunda olduklarını görebiliyordu. Uçak geçtiği yolda bir yarık açarken parçaları çevreye fırlatmıştı. Çarpmayla birlikte iniş takımları kopmuştu. Kanatlar kökünden parçalanmıştı. Motor soğudukça tıkırtılar geliyordu.

Beck'in ayaklarının altından bir ıslık sesi geldi. Tikaani kafasını tuzla buz olmuş camdan dışarıya çıkarmış ve çevresindeki yıkıma bakıyordu. Sonra yukarıya Beck'e baktı ve küçük yeşil bir kutuyu uçağın üst tarafına doğru salladı.

"İlk yardım çantasını buldum."

"Harika, teşekkürler."

Beck hızlıca aşağı, uçağa doğru eğildi. "Al Amca'yı çıkarmak için yardım etmelisin."

Kabine döndüğüne pilot hâlâ hareketsizce koltuğuna bağlıydı ve Beck sessizce ondan özür diledi. Onu öylece yok saymak yakışıksız bir hareket olurdu bu yüzden uçağın yangın battaniyesiyle üzerini örttü. Sonra dikkatlerini Al'a yönelttiler.

En kolay kısmı kemerini çözmek olduk. Sonra iki yeniyetme çocuk olabildiğince nazik hareketlerle yetişkin bir adamı, bir zamanlar ön camın olduğu sol taraftaki dar boşluğa taşımak zorunda kaldılar.

Uçağın burnu Al'ı uzatmak için çok küçüktü ve onu toprağa indirmek için zeminde çok fazla ölü çalı çırpı vardı. Onu dışarıdan uçağın tepesine çıkarmak zorundaydılar. Önce onu kabinin içinde çevirdiler. Ardından, Beck kırık ön camın dışından çekerken Tikaani de içerden itmişti ve onu sırtüstü yarıya kadar çıkarmayı başarmışlardı.

Daha sonra belini öne doğru bükerek kabinin tepesine çıkarabildiler. Biraz daha itip çekmeyle Al nihayet uçaktan tamamen çıkmış, gövdenin üstünde uzanıyordu. Tikaani Al'ı sabit tutarken Beck uçağın arka tarafına doğru yere kaymış, daha sonra amcasını bir itfaiyeci edasıyla omzunun üzerine almıştı.

Diz boyuna kadar çalılığın içindeydi hâlâ. Tekmeleyerek zemini temizledi ve amcasını yere uzattı. En sonunda Al'in yarasını düzgün şekilde muayene edebilecekti.

Eğitmen, "Temel ilk yardım kurallarını hatırlamak çok kolaydır." dedi. "Nefes içeri girip dışarı çıkar. Kan içeride dönerek dolaşır. Bu durumlarda olacak herhangi bir değişiklik sorun demektir ve hemen ele alınmalıdır."

İlk adım Al'in bacağındaki derin yaraya turnike uygulamaktı. Şu an basit bir bandaj bu kanı durdurmaya yetmezdi.

Beck ilk yardım çantasını açtı ve bir parça sargı beziyle Al'ın bacağını yaranın üst tarafından bir tur sardı. Sonra sargı bezinin iki ucunu alıp basit bir düğüm atarak bağladı ve bir sonraki adımda ihtiyacı olan şey için çevresine bakındı.

Tikaani büyük bir merakla izliyodu.

"Kısa bir dala ihtiyacım var" diye seslendi Beck.

Tikaani uzanıp uçağın çevresinden sarkan ölü dallardan birini tuttu, Beck'e uzattı. Hâlâ biraz uzun kaldığı için Beck dalı diziyle kırdı ve yaklaşık on beş santimetre uzunluğunda olan dalı bandajın düğümüne yerleştirdi.

Sonra üstüne bir düğüm daha attı. En son olarak turnikeyi sıkmak için çubuğu çevirdi.

"Vaay, tıpkı bir vanayı kapatmak gibi," dedi Tikaani.

Beck'in bunu tercüme etmesi biraz zaman aldı. Amerikalılar 'vana' derdi; İngilizler ise 'musluk' diyordu. "Amacımız da bu zaten," dedi Beck memnun bir ifadeyle.

Kan akışı gerçekten de bir musluğun kapatılması gibi yavaşlamıştı.

Bu ani kan kaybı sorununu çözdü ama Al'ın bacağını kurtarmak için kan dolaşımı devam etmeliydi bu yüzden ara ara sargıyı gevşetmek gerekiyordu. "Çubuğu sabit tutabilir misin?"

Tikaani bunu yaparken, Beck dalın yerinden kaymaması için parça bandajla üstten son bir kez daha bağladı. Sonra Tikaani'ye sırıtarak "Seni kan tutmuyor değil mi?" dedi.

Tikaani biraz solgundu, ancak Beck bunu anlayabiliyordu. Beck'le göz göze geldiler.

"Belli ki tutmuyor."

"İyi bakalım."

Beck, ilk yardım çantasındaki makası kullanarak yaranın bulunduğu yerden Al'ın giysilerini kesti. En sonunda yarayı düzgün bir şekilde görebiliyordu. Sekiz santimetre uzunluğunda ve oldukça derindi. Bunu neyin yapmış olduğundan emin değildi. Belki de parçalanmış gösterge paneli kesmişti. Yara dizin hemen üzerinden başlayıp yukarı doğru ilerliyordu. Kan koyu kırmızı bir sızıntı hâlindeydi.

İyileşmeye çalışan yara, kanın pıhtılaşmasıyla normal bir kesik gibi kabuk bağlamaya çalışıyordu ama böyle bir yara için kolay bir şey değildi.

Beck elini yaraya değdirmeden olabildiğince yakın bir şekilde kesiği inceledi. Bulundukları yerin steril bir ortam olmadığını ve herhangi bir tıbbi eldivene sahip olmadığını acıyla fark etti. Yapmak isteyeceği en son şey yaraya enfeksiyon bulaştırmaktı.

Cama çarpan metalin çıkardığı ses dikkatini çekti. İlk yardım seti, küçük bir dezenfektan şişesi ve bir cımbız içeriyordu. Tikaani, cımbızı dezenfektan şişesine daldırıyordu.

Tikaani, "Yara, kir, ölü deri ve pıhtılaşmış kan parçaları da dâhil olmak üzere tüm pisliklerden arındırılmış olmalı." dedi. Ders anlatır gibi bir hali vardı. "Dezenfektan çözeltisi ile sterilize edilmiş cımbız kullanın."

"Nereden biliyorsun bunu?" diye sordu Beck.

Tikaani sırıttı ve başıyla kutuyu işaret etti. "Kapağın içinde talimatlar var."

"İşte!" Cımbızı Beck'e uzattı. Dezenfekte edilmiş bölgelere dokunmadığından emin olmak için cımbızı dikkatli şekilde aldı.

"Teşekkürler. Biraz suya da ihtiyacımız olacak."

"İçeride bir şişe görmüştüm. Bir dakika burada bekle."

Tikaani geri uçağın içine tırmanırken "Hiçbir yere gitmiyorum zaten..." diye içinden geçirdi Beck. Yarayı tekrar kontrol etti. İlk haline göre oldukça temizlenmiş görünmesine rağmen hâlâ biraz kurumuş kan ve Al'ın kıyafetinden parçalar seçilebiliyordu.

Tikaani bir şişe suyla geri döndü. "Ayrıca bunları buldum" dedi. Tıbbi battaniyeyi ve koltuk minderlerinden birini yere bıraktı. "Kapakta şoka karşı sıcak tutulması gerektiği yazıyor."

Beck de ona katılarak, "Asla kapakla zıtlaşma" dedi.

Tikaani, yastığı Al'ın kafasının altına koyarken, Beck de dikkatli bir şekilde yaraya biraz daha dezenfektan döktü.

Tikaani iç geçirdi ve empati yaptığı için irkildi. Beck de aynı duyguyu hissetti. Dezenfektanın basit bir yarayı bile ne kadar yakabileceğini biliyordu; Al uyanık olsaydı, bu gerçekten de onun için çok acı verici olurdu. Yara artık yeterince temizlenmişti. Tikaani'den suyu aldı ve yaranın yüzeyinde kalan dezenfektanı yıkayıp temizledi.

Şişeyi geri uzatırken, "Eğer böyle bırakırsak tahrişe neden olabilir," diye açıkladı.

En son olarak, bir parça gazlı bezi açtı ve Tikaani'den bezin bir yüzüne antibiyotikli krem sürmesini istedi. Sonra da Beck, gazlı bezin kremli tarafı aşağıya gelecek şekilde yaraya bastırdı ve üzerine Al'ın bacağını saracak şekilde birkaç kat daha sargı bezi doladı.

Steril beyaz kumaş hemen kırmızı renge boyandı ama kanın büyük kısmı öğretmenin anlattığı gibi içeride kalıyordu.

Tikaani işaret ederek, "Onu yerde bırakamayız" dedi. Eliyle çevreyi gösterdi. "Burası tundra."

"Birkaç santimetre aşağımızda permafrost var. Onun için dondurucu olur."

"Evet." Permafrost, toprak sıcaklığının bütün bir yıl boyunca sıfır derece veya sıfırın altında olması demektir. Belli bir süre üstünde uzanılacak bir şey değildir. Beck etrafına bakındı ve yakınlarında yerde uzanan uçağın kanatlarından biri gözüne ilişti.

"Galiba bu sorunla ilgili bir şeyler yapabiliriz..."

Uçağın kanatları oldukça hafifti. Ortalarına alarak çocuklar kanatları kaldırıp düzgün bir şekilde yan yana yere koydular. Al'ın uzanabileceği bir platform yaptılar. Çok rahat değildi ama kuru ve katı bir cisimdi, en azından buzlu zeminden daha iyi bir seçenek.

Sonunda Al'a paltosunu giydirip ve Tikaani'nin bulduğu battaniyeyle sarmaladılar. Beck yere çömeldi ve amcasına baktı. Şimdilik onun için elinden gelen her şeyi yapmıştı.

"Peki şimdi ne yapacağız?" diye sordu Tikaani.

Beck iç geçirdi ve ayağa kalktı. "Şimdi de bu karmaşadan kurtulmaya çalışacağız."

Montlarını uçaktan alıp etrafı keşfetmek için yola çıktılar. Keşifleri uzun sürmedi.

Beck, bulundukları yerin kuzeyinde rüzgârların çok sert olacağını ve ağaç gibi büyük bitkilerin toprak çok buzlu olduğu için büyüyemeyeceğini biliyordu. Tundra dışında sert ve bodur çalılık, yosun ve likenden oluşan ağaçsız çetin bir ova. Kuzey Kutbu tamamen kar ve buz kaplıydı. Fakat bulundukları yer ağaç kümelerinin oluşabilmesi için yeterince güneydeydi. Sanki ağaçlar soğuk havaya karşı birlik olmuş ve kahramanca bir mücadele veriyorlardı. Köklerini permafrosttaki boşluklardan aşağı uzatarak hayatta kalıyorlardı.

Uçak bu kümelerden birinin tam kenarına düşmüştü. Birkaç metre farkla köknar ağaçlarına çarpabilir ve tüm uçak parçalara ayrılabilirdi.

Tikaani yürürken, "Bizi aramaya gelecekler, değil mi?" diye sordu. "Gelmeleri ne kadar zaman alır sence?"

"Nerede olduğumuzu bilmiyorlar," dedi Beck. "Rotamızı değiştirdik."

"Ama pilotun acil yardım çağrısı yaptığını duydum!"

"Evet," diye katıldı Beck ve tekrarladı, "Fakat rotamızı değiştirdik. Pilotun bundan bahsettiğini duymadım." Aslında yardım çağrısının birileri tarafından duyulup duyulmadığını bilmelerinin hiçbir yolu yoktu... Tikaani'ye bundan bahsetmedi.

"Şeyy..." Tikaani bir süreliğine düşünceli göründü. "Onların uyduları var." Bir elini belli belirsiz şekilde salladı. "Ve 'birtakım aletleri' var değil mi?"

"Evet, var" diye onayladı Beck. Kim bilir belki de Tikaani haklıydı. Anchorage'dan biri uçaklarının radarda kaybolduğu anı fark etmiş olabilir ve onlar konuşurken kurtarma ekibi yola çıkmış olabilirdi.

Tabii ki bunların hiçbiri yaşanmıyor da olabilirdi.

Tikaani'ye, "Bulunmamızı kolaylaştırmalıyız," dedi. "Çevremizdeki eşyaları bir araya toplayalım. Kayaları, tahta parçalarını. Enkazdan kalanları."

"Hey baksana uçağın yarısı toprağa gömülmüş. Yukarıdan görünmeyebiliriz. Bu alana kocaman güzel bir S.O.S* yazacağız..."

"Yerdeki harfler küçücük görünecektir," dedi Tikaani.

Beck omuzlarını silkti. "Öyleyse biz de çok büyük yazarız!"

Sonrasında altı veya yedi metre yüksekliğinde S.O.S harflerini yazdılar. Bu iş en az yarım saatlerini almıştı.

---

* Yardım.

KURT YOLU

Tikaani memnun bir ifadeyle "Bunu görebilirler artık değil mi?" diye sordu.

"Hı-hı..." Beck gökyüzüne bakındı. Kimsenin onları aradığına dair bir işaret yoktu henüz. *"Ama daha günün erken saatlerindeyiz,"* dedi kendi kendine. "Burası tamam. Sırada..."

O an, çarpışma esnasında, hatta kazadan önce bile, beynini kemiren düşünceler nihayet dışarıya çıkmak için bir şans yakaladı ve ileri atıldı. En doğru zamanı seçmişlerdi. Tüm savunmasını paramparça edip ve onu ayakta hareketsiz bıraktılar.

"Anneciğim ve babacığım için de böyle mi olmuştu?"

Tikaani, Beck'in canlılığını yitirdiğini ve uzaklara daldığını görebiliyordu.

"Beck?" diye seslenirken tedirgindi. Bi an durakladı ve sonra tekrar seslendi "Beck?"

Beck hemen hemen hiç duymuyordu. Ormandaki kazadan kurtulabildiler mi? Onun yaptığı her şeyi yapmışlar mıydı? Fakat bunların hepsi boşunaydı, çünkü bir daha asla görülmemek üzere vahşi doğada kayıplara karışmışlardı.

"Beck!"

Tikaani'nin çağrısı, bir titremeyle geri getirdi ve o da bunu bir daha yapmayacağına yemin etti.

Geçmişte ne olduğu hakkında tahmin yürütmek anlamsızdı. Olan olmuştu ve değiştirilemezdi. Önemli olan gelecekti ve neler yapılabileceğiydi. Ayrıca, hayatta kalmak için ruhunu da güçlü tutman gerekiyordu. Geçmişte neler olmuş olabileceğini takıntı haline getirmeden moralini yüksek tutması gerekiyordu.

"Şimdi tam olarak nerede olduğumuzu öğreneceğiz," dedi kararlı bir şekilde. "Çantaların birinde GPS olmalı. Al Amca'nın onsuz asla seyahat etmeyeceğinden eminim."

Uçağa yanına geri döndüklerinde, bir şeylerin farklı olduğunu görebiliyorlardı. Al uyanmıştı. Kendini dirseklerinin üzerinde yukarı kaldırmış ve çevreye bakınıyordu.

"Hey, Al Amca!" Beck ve Tikaani ileri doğru koştu.

Onlara doğru gülümserken Al'ın beyaz dişleri ortaya çıktı. "Beck! Tikaani! Aferin çocuklar." Konuşurken dikkatliydi, ara ara hırıltı sesine boğuluyordu. Beck onun belli ettiğinden daha fazla acı çektiğini sezdi. "Pilot nasıl?"

Çocuklar yanına çömeldi ve Beck durumu açıkladı. Al pek bir şey söylemedi ancak Beck, Al'ın durumun ne kadar kötü olduğunu anladığını biliyordu. Bunu sesli dile getirmesine gerek yoktu. Al, "Şurada bir GPS var," diye söze başladı.

"Biliyorum. Bekleyin." Beck kabine geri tırmandı ve uçağın arka tarafına doğru yol aldı. Aradığını bulana kadar çantaları didik didik etti. GPS büyük bir telefon boyutlarında plastik bir kutuydu. Kolaylıkla bir bilgisayar oyunu kasetiyle karıştırılabilirdi. Beck açma tuşuna bastı, ekran ışığı yandı ve çalışmaya başladı. Kutu, yüzlerce kilometre yukarıdaki uydularla sessiz bir konuşma yaparak dünya üzerindeki konumunu sabitledi. Beck, pilotun haritasını koltuğunun yanındaki bölmeden çekip çıkardı ve diğerlerinin yanına döndü.

Tikaani küçük kutuyu gördüğü zaman, "Hey, bu çok havalı" diye atladı. Ekrana bakabilmek için Beck'i çekiştiriyordu. *Ona birazcık teknoloji ver ve çocuk hemen mutlu olsun!* Beck yüzünde tebessümle aklından bunları geçirdi. Tikaani'ye haritayı uzattı. O da haritayı alıp yere serdi. Beck, GPS'deki koordinatları okudu ve Tikaani de haritanın üzerine, enlem ve boylam çizgilerini işaretledi. Belirli bir noktada kesişiyorlardı.

"İşte buradayız!" dedi Tikaani keyifle. Diğer ikisi, parmağını kâğıdın üstünde bastırdığı yere bakmak için eğildiler. "Nerede olduğumuzu biliyoruz! Bu iyi bir başlangıç, öyle değil mi?"

"Bu her zaman işe yarar..." diye katıldı Beck. Maalesef o ve Al Amca durumda çok fazla hata görebiliyordu. Tikaani bunları gözden kaçırıyor olmalıydı.

Haritada konumları Anakat'tan sadece birkaç santimetre uzaktaydı. Anakat kare bir noktaydı, hatta haritadaki tek kare şeydi. Gerisi eğriler ve kesik çizgilerden oluşuyordu. Anakat insan yapısıydı; geri kalan her şey doğaldı. Bu kare nokta sıcaklığı, yemekleri ve güvenliği temsil ediyordu.

"Baksanıza," diye ısrarla seslendi Tikaani. "Anakat'a diğer yerlerden daha yakınız. Muhtemelen bir günde yürüyebiliriz."

"Olabilir" dedi Beck, "Eğer Al Amca herhangi bir yere yürüyebilirse." diye ekledi.

Anakat ile şu an bulundukları yer arasındaki kalın kontur çizgilerini parmağıyla işaret etti "Keşke hepsi düz olsaydı. Ne yazık ki yol üstünde dağlar var."

Hepsi kafasını kaldırdı ve batıya doğru baktı. Dağlar açıkça görünüyordu ve Anakat ile onlar arasında heybetli bir duvar gibi uzanıyordu. Zirveleri güneşte parlıyordu. Kuzeyden başlayarak güneye doğru sıralanmıştılar ve Anakat batıya doğru kalıyordu. İstikameti zihinde belirlemek çok kolaydı. Aradaki milyonlarca tonluk kaya gibi küçük bir pürüz vardı sadece.

"Eğer onları dâhil edersen," diye derin derin düşündü Beck, "Maalesef... iki veya üç günlük mesafeyi yürümeliyiz. "Büyük ihtimalle..."

Tikaani bir anlık gözü korkmuş gibi göründü. Dağlara bir bakış daha attı. Beck için bu bakış, onun problemin boyutlarını kavradığı anlamına geliyordu.

Tabii ki, iki veya üç günlük yürüme mesafesi dünyanın sonu değildi. Fakat, dağların dik yamaçlarını buzu ve karı hesaba katınca iş değişirdi.

"Tamam..." derken Tikaani'nin sesi biraz titredi ve sonra güçlü bir şekilde tekrarladı. "Tamam. Ama daha önce de söylediğim gibi en azından bizi aramaya geleceklerdir. Bizi bekliyor olmalılar."

"Hmm," dedi Al. Aniden biraz kuşkulu ses tonuyla araya girdi. "Tam olarak öyle değil."

Şimdi her iki oğlan da ona bakıyordu. Omuzlarını silkme sırası ondaydı. "Bizimkisi planlanmamış bir uçuştu. Lumos Petrol'ün avukatları ve basın sözcüleri her şey başladığından beri ensemizdelerdi. Eğer Anakat'a geleceğimizi bilselerdi, bizden önde orada olurlardı. Radarlarına görünmek istemedim. Onlar hiçbir şeyin farkına varmadan belgeseli çekecektim. Buraya gelişimiz tabii ki sır değildi... ama gelecek hafta burada olacağımıza dair ipuçları bırakmıştım. Yolculuğumuzdan haberleri yok."

"Hey!" diye haykırdı Tikaani.

"21. yüzyıldayız! Uçaklar öylece gözden kaybolmaz! Anlıyorum, plansız bir uçuştu ama bir yerlerde birilerinin uçuş kayıtlarında olmalıyız, Ayrıca babam geleceğimizi biliyor."

"Anchorage, kalkışımızı ve uçuş planımızı kaydetmiştir," diye katıldı Al. "Ama varışımızı kontrol etmek için hiçbir sebepleri yok. Ehh, er ya da geç fark edecekler. Fakat bu, günler sonra olabilir. Ayrıca baban bile tam olarak ne zaman orada olacağımızı bilmiyor. Lumos'un kulağına gitme ihtimaline karşı yola çıktığımız zaman ona haber vermedim."

Günlerce... diye düşündü Beck. Aşağıya, Al'ın bacağına doğru göz gezdirdi ve tekrar amcasına baktı. Dışarıdan görünür tek açık yara bacağındaydı. Al'in iç organları ne kadar hasar görmüştü acaba? Amcası hâlâ solgun görünüyordu ve sesi çok zayıf çıkıyordu. Görebileceğinden çok daha kötü bir hasara uğramış olabilirdi.

Beck, Al'ın bekleyebileceğinden emin değildi.

"Günlerce..." Tikaani, Beck'in düşüncelerini dile getirdi.

Güvende olmaya yaklaşık altmış kilometre ve üç günlük yürüyüş mesafesi kadar uzaklıktaydılar. Kurtarma ekibinin onları bulması bundan daha uzun sürebilirdi. İyimserliği tükendikçe omuzları çöktü; başını önüne eğdi. Fakat sonra sabit ve katı bir ifadeyle başını tekrar kaldırdı.

"Peki, şimdi ne yapacağız?" diye sordu

BÖLÜM 3

Çocuklar bir kez daha uçağın içine girdiler. Bagajların bulunduğu arka koltuklara güçlükle tırmandılar.

"O zaman bakalım neyimiz var?" diye mırıldandı Beck. Çantalarından birinde paketlenmiş öğle yemekleri vardı. Beck, kendi paketlediği için biliyordu. Kahvaltıdan bu yana uzun bir süre geçmiş gibiydi. Çantayı Tikaani'ye uzattıktan sonra dizlerinin üstüne çökerek etrafa bakındı. Plastik bir alet çantası gözüne çarptı. Kutuyu açıp içini didik didik aradı. Anahtarların ve vidaların arasında kılıfıyla beraber bir Bowie bıçağı* vardı. Kılıfından çıkardı ve havaya kaldırdı.

Bıçak, yirmi santimetre uzunluğundaydı, ahşap bir sapı ve kavisli, sivri bir başı vardı. Vahşi doğa için tasarlanmıştı ama aynı zamanda et kesmek, ölü bir hayvanın derisini yüzmek ya da karşına çıkacak herhangi bir şeyi dilimlemek için de kullanabilirdiniz. "Mükemmel" diye mırıldandı Beck.

Tikaani'nin de onayladığını duydu.

"Bende de bunlardan bir tane vardı" dedi çocuk. "Okulda millete gösteri yapmak için kullanıyordum ve öğretmen el koydu. Şehir çocuklarını korkutuyordu."

---

* Eğri av bıçağı.

Beck Tikaani'nin *şehir çocukları* deme şekline, içinden gülümsedi. Her ne kadar Tikaani bie şehir çocuğu olmayı istese de köklerinden tam olarak kurtulamıyordu.

Bıçağı kılıfına sokup etrafına biraz daha bakındı. İşte! Bir muşamba, katlanmış ve bir köşeye sıkıştırılmış. Onu da çekip çıkardı ve arkaya uzattı. "Hadi, gidebiliriz" dedi.

Tikaani geri dönerek uçaktan dışarıya çıkmak için tırmandı bu kez. Beck, alet çantasını koltuğunun altına aldı ve onu takip etti.

Tikani "Ne yapacağız?" diye sordu. Beck cevabı kısa ve uzun vadede yapılacaklar olarak ikiye ayırdı. Kısa vadede barınak yapılacak, ateş yakılacak, yiyecek ve su bulunacak. Kendilerini olabildiğince güvenli ve sakin tutmalılar. Uzun vadede... şey, kısa vadede nasıl idare edeceklerini görmeliydi önce. Uzun vadede kurtarma ekipleri çıkıp gelebilir.

Barınak için uçağı kullanabilirlerdi ama pilot hâlâ içerideydi ve ateş yakmaları durumunda yakıtın parlama riski vardı. Üstelik Al, yardım almadan içeri girip çıkamıyordu.

Uçağa kısa bir mesafede bulunan büyük bir kaya parçası, tundradan dışarıya doğru çıkıntı yapmıştı. Binlerce yıl önce buz ile taşınmış ve buzun erimesiyle olduğu yerde kalmıştı. Tikaani ve Beck, güçlükle olsa Al'ı kanadın üstünden dikkatli bir şekilde kaldırıp kanatları taşıyıp kayaya karşı üst üste gelecek şekilde yasladılar ki dondurucu hava aradaki boşluktan içeri giremesin. Artık bir barınağa sahiptiler. Beck'in sağ eli Tikaani'nin sol eline kenetlenmiş ve birbirlerini omuzlarına kollarını dolamış vaziyette bir beşik oluşturdular ve yeni evine yerleşmesi için Al'ı taşıdılar.

"Çok iyi," dedi Al, kanadın altındaki zeminde uzanarak. Onu, tundra soğuğundan uzak tutmak için zemini köknar dallarıyla ve elbise parçalarıyla kaplamışlardı. "Gerçekten çok hoş. Bir adamın isteyebileceği en iyi ev."

"Bu, geleneksel bir Eskimo evi," diye alaycı bir şekilde söylenirken kanatlara bakıyordu Tikaani."

"Ren geyiği bulamadığımız zaman aluminyum kullanmayı tercih ederiz."

Ateş yakmak zor olmadı. Etrafları ölü kuru dallarla çevriliydi. Tikaani, küçük ve kolay kırılan ağaç parçalarını tutuşturmak için bir araya toplarken Beck, su ve diğer önemli ihtiyaçları bulmak için dışarı çıktı. Şans eseri, vahşi doğada karşısına, neşeyle akan küçük bir dere çıktıktan sonra çok uzağa gitmek zorunda kalmamıştı.

Su, soğuk ve berraktı. Beck amcasıyla birlikte tüm seyahatlerine götürdükleri iki adet matarayı suyla doldurdu.

Ateşi tutuşturmak için elindekileri yere bıraktık sonra Tikaani, "Bu da ne?" diye sordu. Barınağın girişinde bir tutam gri-sarı renkli saça benzeyen bir yığın oluşturmuştu.

"Yaşlı adam sakalı," diye açıkladı Beck. Muzipçe bir parçayı alıp Al'ın yüzüne tuttu. "Görüyor musun?"

Al eliyle vurup uzaklaştırdı. "Bence yeterli!" diye haykırdı.

"Yosun," diye açıkladı Beck. "İngiltere'de 'yaşlı adam sakalı' diye adlandırdığımız yaban asması bitkisi gibi değil. Ağaçlarda büyür, kayalarda büyür ve çok kolay tutuşur."

Beck, küçük öbeğinin üstüne bir sıra Tikaani'nin bulduğu çıraları koydu ve onu birkaç büyük odun parçası izledi. Tikaani onu izlerken, boynunda asılı duran ayakkabı bağcığını çıkardı. Uçlarında iki metal parçası küçük bir çubuk ve düz bir kare şeklinde asılıydı. Beck izlediğini fark etti. "Bu bir ateş çeliği," diye açıkladı. "Bunu her yere götürürüm. Kare şeklindeki törpüyle çubuğa vur..." anlatırken gösteriyordu. Tikaani, etrafa saçılan kıvılcımlardan kaçmak için geriye doğru sıçradı. "Ve kıvılcım, daha çok kıvılcım. Her yerde ateş yakmayı becerebiliyorum bu sayede."

Tekrar yaptı, bu sefer çıralardan oluşan küçük yığının yanında. Kıvılcımlar yaşlı adam sakalının birkaç teline sıçradı ve yanmaya başladılar. Alevden daha çok kırmızı bir kor gibiydiler.

Kor, onları tüketinceye kadar büktü ve kıvırdı. Birkaç saniye sonra ölü yosun tamamen bitmişti. Fakat ince, titrek bir alev çıraları tutuşturmuştu bile. Bir parça odun çatırdadı, onu bir başkası izledi ve alevler yavaşça yayılmaya başladı.

Tikaani sırıttı ve ellerini ateşe tutarak çömeldi.

Beck, "bacağın nasıl?" diye amcasına sordu.

Al yönünü ateşe doğru çevirdi ve düşünceli şekilde bandaja baktı. "İyi iş çıkardın, Beck. Teşekkürler. Biraz daha gazlı bez hazırla. Turnikeyi çözeceğim..."

Beck başını salladı ve ilk yardım kutusunu aldı. Eninde sonunda turnikeyi serbest bırakmak gerekiyordu çünkü bacakta yeterince kan akışı olmazsa çürümeye başlayacaktı. Ama eğer yara mühürlenmemişse, kan kolaylıkla bacağa hücum edebilir ve yaradan dışarıya çıkardı. Bu durumda tekrar bandajlamak gerekirdi.

"Sen yapar mısın?" diye sordu Al. Beck çubuğu sabit tutarken amcası da üstteki sabit durmasını sağlayan düğümü çözdü. Turnikeyi yarıya kadar gevşetti ve dişlerini sıkıp homurdandı. Üçü birlikte bandaja dikkatlice bakıyordu. Bir dakika sonra daha kırmızı bir renk almayacağı bariz bir şekilde anlaşılmıştı. Beck tuttuğu nefesini geri verdi.

Al turnikeyi yeni ve daha gevşek pozisyonda yeniden ayarladı.

"Yirmi dört saat daha verelim sonra tekrar değiştiririz." dedi. Kendini zorlayarak çocuklara gülümsedi. Yüzü solgundu ve acı çekiyordu ama neşeli olmaya kararlı görünüyordu. "Şimdi, öğle yemeği mi?"

Öğle yemeği soğuk et ve peksimetten oluşan basit ve idareli bir yemek oldu. Şimdilik iş görmüştü ama...

Tikaani mutsuz bir şekilde "Bu bize birkaç günden fazla yetmez" dedi.

"Hey, etrafımız yiyecekle çevrili!" dedi Beck.

Tikaani etrafına baktı. "Evet. Nefis çimden sonra köknar ağacı tatlısı."

Beck, yakınlarındaki alet kutusuna uzandı. İçindekileri dışarıya boşalttıktan sonra boş kutuyla birlikte ayağa kalktı. "Hadi, sana göstereceğim". Beş dakika sonra çocuklar tekrar ormandaydılar.

Çocuklar yerdeki bir kütüğün yanına çömeldiler. Kütük, yılların etkisiyle yavaş yavaş parçalara ayrılıyordu. Beck, bıçağın uç kısmıyla ağaç kabuğunun çürümüş katmanlarını iteledi ve dağılan parçaların altından kahverengi, mercek şeklinde, yumuşak ve ipeksi mantar kümesi kendini gösterdi.

"Bu geyik mantarı," dedi Beck diğer çocuğa. "Ölü kütüklerin üstünde yetişir ve yemesi son derece güvenlidir."

"Paluqutat," dedi birden Tikaani. Beck ona doğru şaşkınlıkla baktı. Omuzlarını silkti. "Hey, büyükanneme toplamasında yardım ederdim. Daha önce hiç ana yemek olarak yendiğini görmedim."

"Pekâlâ..." Beck kalan geyik mantarlarını da kütükten ayıklayıp kutuya attı. "Eh, bize bunlardan çok daha fazla lazım ve ayrıca... Bak!"

Yakındaki bir çalılığın yapraklarını kenara itti ve Tikaani yabani çilekleri gördü. Siyahlardı ve bir eriğin yarısı büyüklüğündeydiler. "Bunlar ayı üzümü," dedi Beck.

"Mideyi rahatsız etmezler ve seni tok tutarlar. Böylece..."

Çalılığı, yüklerinden hafifletirken "Nesin sen?" diye sordu Tikkani. "Bir çeşit uzman mısın?"

"Uzman mı?" Beck bir anlık duraksadı. Övünmek istemedi. "Bir iki şey biliyorum. Sami kabilelerinin biriyle

Finlandiya'da bir ay geçirdim. Anne ve babam orada araştırma yapıyordu. Buradan çok farklı bir yer değildi."

"Yani bunu daha önce yaptın? Sormak istediğim şey aslında... Daha önce yabani doğada hayatta kalmayı başarabildin mi?"

"Yabanda mı? Hayır." Beck çalıdan doğruldu ve daha fazlası için etrafına bakındı. "Balta girmemiş ormanda... evet, hayatta kaldım."

"Hey? Ne zaman?"

"Biraz daha mantar için çevreye baksana" diye görevlendirdi Beck. "Ben de biraz daha çilek bulabilir miyim diye bakınacağım. Ne zaman mı? Hmm... Birkaç ay önce..."

Böylece, birlikte yiyecek toplarken Beck, Tikaani'ye Kolombiya'daki arkadaşları Christina ve Marco'yla olan son zamanlarını anlattı. Al Amca kaçırılmıştı ve onu kurtarmak için hiç de misafirperver olmayan nemli bir ormanda kilometrelerce mesafe kat etmek zorunda kalmışlardı. Üstelik yiyecek bulmak için şelaler, mermi karıncalar, jaguarlar ve zehirli bir yılanla pazarlık yapmak zorunda kalmışlardı...

"Kafasını mı kestin? Öylece kopardın mı?" Tikaani, Beck'in ölümcül engerekli yılanla karşılaşmasını anlatırken şüpheciydi. Beck sırıttı. "Sonra da yedik onu." Tikaani bir ıslık çaldı, etkilenmişti.

Küçük, mayhoş meyveleri olan yabani çilek çalısı buldular. Çileklerin tadı dilinin üstünde ekşi patlamalarına neden oluyordu, fakat yine de yenilebilirdi.

Çocuklar, bir tür mantar ve iki farklı tür çilekle dolu kutu ile uçağın bulunduğu yere geri döndüler. Tikaani biraz daha neşeli görünüyordu.

***

Öğleden sonraydı. Birkaç saattir yerdeydiler. Kurtuluşun habercisi olan insansız hava araçlarından veya araziyi araştıran helikopterden hâlâ ses soluk yoktu. Beck'in düşünceleri gönülsüzce uzun vadeli planlara geçti. "Uçağın içindekileri boşaltmalıyız," dedi.

Beck uçağın içinden yukarıya doğru çantaları uzatırken, Tikaani de gövdenin üzerinde ayakta durmuş onları alıp aşağıya fırlatıyordu.

"Hey, bagaj taşıma işine girmeliyim!"

Hepsini boşalttıktan sonra Beck ilk valizi açtı. Tam beklediği gibi hemen hemen hepsi kıyafetti. Çok iyi. Valizleri, birkaç kere üstlerini değiştirmeye yetecek kadar kıyafetle doluydu ve bol bol yedekleri olduğu anlamına geliyordu bu.

Bir tane gömlek aldı ve bıçağı pamuklu kumaşa dayadı. Tatmin edici bir yırtılma sesiyle ikiye ayrıldı kumaş.Beck düzenli bir şekilde gömleği küçük parçalara bölmeye başladı. "Ne yaptığını söyler misin?" diye sordu Tikaani.

Al, dirseklerinin üzerine yaslanmış, hiç yorum yapmadan izliyordu. Beck'in ne yaptığını açıklamasına ihtiyacı yoktu. "Beck önlem alıyor," diye açıkladı, "Olur da kurtarma ekibi zamanında gelmezse diye."

KURT YOLU

"Gelmeyecekler," dedi Beck. "Ve bunu sen de biliyorsun." diyerek gömleği kesmeye devam etti.

"Beck," diye seslendi Al. Beck sesinin tonundan, ricaya benzeyen bir şeyler işitti. "Prosedürü biliyorsun. Eğer bir kaza varsa, enkaz ile kalmalısın. Kendi başına dolaşmaya gitmezsin. Uçağı görmeleri seni görmelerinden daha olasıdır, bundan dolayı onunla kalmalısın."

"Evet. Çoğunlukla bu dediğinde haklısın, ama uçağımız gökyüzünden görünemez hâle gelecek. Zaten şimdiden yarısı örtülü."

Tikaani, bir ona bir diğerine bakıyordu, tamamen şaşkına döndü.

"Konuşmanın yarısını filan mı kaçırdım? Birkaç gömlek kesmenin bize ne yararı olacak ki?" diye sordu.

Beck gülümsedi. "Halat yapacağım. Vahşi doğada her zaman halata ihtiyacın vardır."

"Halat mı?"

"Tabii ki. Bunların hepsini bir arada örgü gibi örüp bükersin ve sonunda elinde iyi, güçlü bir..." "İyi de... halat? Buna neden ihtiyacımız var?"

"Tahmin edemiyor musun?" diye sordu Al. "Beck, bizim için, kimsenin geleceğini düşünmüyor ve bu da yardım bulmak için gitmek zorunda olduğu anlamına geliyor. Ne yazık ki onu durdurabileceğimden emin değilim."

"Birkaç saat daha bekleyeceğiz," Tikaani'nin hemen vahşi doğanın içinde kaybolacağını düşünüyor olma ihtimaline karşın böyle dedi. "Bakalım sabah ne olacak."

Tikaani, komik bir şekilde yuvarlak gözleriyle Beck'e baktı. Sonra tekrar gözlerini dağlara yani yürümeyi içeren herhangi bir planın önündeki en büyük engele çevirdi.

"Gerçekten geleceklerini düşünmüyor musun?"

"Rotanın altmış kilometre dışındayız," diye hatırlattı Beck. "Ve uçağımızın havalandığından neredeyse kimsenin haberi yok. Hayır, sanırım bizim için gelmelerinin tek yolu... Birimizin gidip olanları anlatması."

Gömlekleri ve uçağın koltuk kılıflarını keserek Beck yeterince uzun iki tane halat yapabildi. Tikaani'niyle beraber iki ucundan tutarak zıt yönlere doğru tüm güçleriyle çekerek iki ucu eşitleyip bir araya getirmişlerdi. Ardından, ihtiyaç duyacakları kıyafetler için çantaları tekrar kontrol etti.

"Hey, benim kıyafet sorunum yok," dedi gururla Tikaani. Uçaktan çıktığından beri üstünde olan ceketi gösterdi. Kürk kapşonlu, kalın ve dolgulu bir parkaydı bu. "Bunu teyzem verdi. Bir kar fırtınasında bile sıcak tutabilir beni."

Beck bir bakış attı. "Üzgünüm ama... hayır."

Tikaani'nin yüzü düştü. "Hayır mı? Ama sıcak!"

"Çok sıcak," dedi Beck. "Dağları geçmek zorunda kalacağız. Bu şey ağırlığıyla seni aşağıya çekecektir ve hava dondurucu olacak ve terleyeceksin ve terleme bunun içinden geçip buharlaşamayacak ve bu seni donduracak ve hasta olacaksın. Su, havaya göre ısıyı vücudundan dışarıya doğru çok daha hızlı iletir. Hayır, bir sürü ince katmana ihtiyacın var. Böylelikle onları kıyafetinin altına giyebilir ve gerektiğinde çıkartabilirsin. Böylece hava sana ulaşabilir ve terin sen anlamadan kurur. Endişelenme, sana nasıl olduğunu göstereceğim."

Tikaani parkasına baktı. Kollarını tutarak çıkardı ve yere bıraktı. "Üzgünüm Teyzeciğim..." diye mırıldandı.

"Bastona ihtiyacımız olacak," dedi Beck. "Bir çift bulmak için etrafına bakar mısın? Sağlam olmalı ama çok ağır olmamalı."

"Baston mu? Biliyorsun bacaklarım var!" diye işaret etti Tikaani.

"Elbette biliyorum ve onlar senin tüm ağırlığını taşıyorlar. Bir değnek bu ağırlığın ancak ufak bir kısmını alabilir, ama bunun sayesinde yolculuğuna fazladan kilometre ekleyebilirsin."

Tikaani düşünceli bir şekilde dudaklarını büzdü. "Büyük babam her zaman baston kullanırdı. Sadece ihtiyarlık yüzünden olduğunu sanıyordum..."

Bu arada Beck başka ne yapabileceğini düşünmüştü. Tikaani tek başına ağaçların arasında dolaşırken, Beck son bir kez uçağa geri tırmandı. Pilotun örtülü bedeninin hemen yanında, pedalların olduğu yerdeki ayak boşluğuna girdi ve kontrol panelinin arkasında bulunan kablolara doğru bıçağıyla saldırdı.

Tikaani hüzünlü bir şekilde "Şey, artık kesinlikle hiçbir yere hareket edemeyecek," dedi. Yürüyüş bastonları için muhtemel iki adayla geri dönmüştü ve Beck'i ellerinde uçağın kablolarından bir demetle buldu.

"Halattan daha güçlü," dedi Beck. "İhtiyacın olup olmayacağını asla bilemezsin... Ne buldun? Hey, iyi seçim!" diye ekledi Tikaani denetleme için sopaları kaldırdığında.

Tikaani, uzun ve ince olanlarından iki tane dal seçmişti ama baskı uygulandığında eğilecek kadar da ince değildiler. Sadece kullanıma elverişli hâle getirmek için Bowie bıçağıyla yapraklarını kesip pürüzlerini tıraş ederek üzerlerinde biraz çalışmaları gerekiyordu. Beck, sözlerinin çocuğun içinde filizlendiğini ve ruhen onu biraz daha güçlendirdiğini gördü.

Beck ve Tikaani uçağın yetersiz açık büfesinde kendileri için basit yemekler hazırlarken Al, Peki planın ne, Beck?' diye sordu. Akşam yemeği vaktiydi, ancak bu kadar kuzeyde oldukları için hâlâ bol miktarda güneş ışığı vardı. Akşam yemeği için yanlarında getirdikleri bütün yiyecekleri tüketmişlerdi. Bundan böyle üçü de vahşi doğada hayatta kalmaya çalışacaktı.

Beck haritayı tekrar açtı ve GPS'i çıkardı. Ekrandaki pil durumunu gösteren küçük çubuğu görünce kaşlarını çattı.

Şarj az kalmıştı ve en yakınlarındaki priz gidecekleri yer olan Anakat'taydı. Aleti idareli ve çok dikkatli kullanmak zorundaydı ve enerjisinden sonuna kadar faydalanabilmek için pilleri olabildiğince sıcak tutmalıydı.

Bu tarz bir alete en son ihtiyaç duyduğu zamanı yüzü kızararak hatırladı. Sal üstünde Kolombiya kıyılarında nereye gittiklerini bilmeden ilerlerken aletin denize düşmesine sebep olup kendini ve arkadaşını çok zor durumda bırakmıştı. En azından bu kez böyle bir şey yaşanmamalıydı.

Bir kez daha harita üzerindeki konumlarını buldu. Bu sefer kalem ve bir parça kâğıt bulup GPS koordinatlarını yazdı. Aynı zamanda onları ezberlemek için çaba gösterdi sonuçta her şeye hazırlıklı olmalıydın. Eğer bu küçük zımbırtının şarjı biterse, Anakat'a ulaştıkları zaman gecikmeden harekete geçmelerini sağlamalıydı. GPS'i kapattı ve pilleri çıkardı.

Sıcak tutmak için nereye koyabileceğini düşündü...Vücuduna yakın taşıması en iyi yöntemdi ama güvende olmalıydılar... Bunun için başka çaresi yoktu: Onları iç çamaşırının içine koydu sonra diğer ikisinin üstünde çalıştıkları haritanın yanına döndü.

"Daha öncesinde bunu fark etmiştim," dedi. Haritadaki üç farklı bölgeye hafifçe vurarak, "Biz. Anakat. Dağlar. Ama iyi bakın..."

Beck iyice eğildi ve diğerleri kafalarını daha da yaklaştırdı. Dağların arasında küçük bir boşluk vardı. Kâğıdın üzerinde küçük beyaz bir çizgi şeklindeydi.

"Çok dar bir geçiş var. Eğer buradan geçebilirsek bizi ekstradan yüzlerce metre tırmanmaktan kurtaracaktır. İlkbahardayız, karlar ortadan kalkmış olmalı. Bunu yapabiliriz."

"Biz" Al düşünceli tekrarladı. "Bu kelimeyi hâlâ sevmiyorum. Aslında 'siz' kelimesinden de hoşlanmıyorum. Beck hep birlikte kalmalıyız. Zor olacak ama sonunda bizim için gelecekler ve hepimizi hayatta tutacak kadar şey biliyorsun."

"Hayır," dedi Beck açıkça, "Tikaani ve kendimi hayatta tutacak kadar şey biliyorum. Ben doktor değilim ve senin ihtiyacın olan şey bu. Çok solgunsun ve nefes alıp verirken hırıltılarını duyabiliyorum. Sorun sadece bacağındaki kesik değil; belli ettiğinden daha kötü. Yardıma ihtiyacın var. Bana bak Al Amca. Gözlerimin içine bak ve bana hatalı olduğumu söyle."

Al ona baktı ama hepsi bu kadardı. Beck'e hayatında hiç yalan söylememişti ve buna şimdi başlayamazdı. Her ikisi de Beck'in haklı olduğunu biliyordu.

Beck, uçaktayken aklına gelen, hazırlıklı bir insanın vahşi doğada yaşamını sürdürmesi ile ilgili olan düşünceleri hatırladı. Yanılmış değildi. Fakat vahşi doğa, hasta ve yaşlı olanı affetmezdi. Hasta ve yaşlı hayvanlar, yataklarında usulca ölmez veya yas tutan akrabalarıyla çevriliyken yaşam destek ünitesine bağlanamazdı. Güçsüz oldukları için bir şeyler onları çabucak öldürürdü.

"Ve," diye ekledi, isteksizce, "Tikaani benimle geliyor," dedi.

Bunu çok düşünmüştü. Al'in gözlerine bir daha baktı ve amcası biraz duraksadıktan sonra hafifçe başını salladı. Beck, Al'in de aynı sonuca vardığını biliyordu. Eğer sadece Beck yardım istemeye gitseydi, Al ve Tikaani birlikte kalırdı ve Al ölürse... Tikaani muhtemelen kendi başına beş dakika dayanamazdı.

"İşte bu!" dedi Tikaani. Bir ona bir diğerine baktı. Beck yüzündeki kararsızlığı görebiliyor, arkadaşının cesur davranmaya çalıştığını biliyordu. Tikaani Alaska tundralarının neye benzediğini anlamıştı. Dondurucu rüzgârlar. Dağlarda kar ve buz. Muhtemelen ayı ve diğer tehlikeler.

"Demek istediğim," diye ekledi Tikaani, kendi kendini rahatlatmaya çalışıyor gibi, "Yardımcı olabilirim. Değil mi?"

"Elbette olabilirsin." Beck, bir gülümsemeyle onayladı. Tikaani de cesur ve gururu okşanmış bir gülümsemeyle karşılık verdi.

"Ne zaman gidiyorsunuz?" diye sordu Al.

"İlk ışıkla."

"Öyleyse bir saat daha bekleyin. Eğer bizim için geleceklerse, onlar da güneşin doğmasını bekleyeceklerdir. Fazladan bir saat daha bekleyin. Eğer hâlâ bir işaret yoksa..." cümlesini bitirmesine gerek yoktu. "Gün doğumundan bir saat sonra yola çıkarız." diye onayladı Beck.

BÖLÜM 4

Aslında bir buçuk saat beklediler. İlk ışıklar, uzak kuzeyde gerçekten çok erken doğdu. Saat beş olmasına rağmen hava kendi memleketinde kuşluk vaktinde olduğu kadar aydınlıktı. Fakat hâlâ ne doğal olmayan bir ses ne de bir görüntü vardı. Bir başka deyişle, kurtarma ekibinden eser yoktu.

Beck ve Tikaani bu süre boyunca Al için odun topladılar. Yaşlı adam az da olsa hareket edebilirdi ama dinlenmek için harcanan süre arttıkça iyileşme şansı da bir o kadar artardı. Ateş, küçük barınağın hemen dışında parlak bir şekilde yanıyordu ve yedek keresteler kolayca ulaşabilecek bir yerde yığılıydı. Beck, akıntıdan doldurduğu iki su matarasını bu sefer dikkatle ağzına kadar doldurdu, yedek kıyafetleri ve toplayabildikleri tüm yiyeceği geride bıraktı.

Çocuklar yürürken kendileri için yiyecek toplayabilir ve plastik şişelerini akarsulardan, nehirlerden doldurabilirlerdi. Son olarak Beck, uçağın aldığı kırmızı bir işaret fişeğini de bıraktı. Böylece, eğer Al tepesinde arama yapan bir uçak duyarsa, kurtarma ekibine haber vermek için fişeği ateşleyebilirdi.

Barınak son derece derme çatmaydı, ama Al'ı rüzgârdan uzak, mümkün olduğunca sıcak ve kuru tutmaya yarayacaktı.

Beck'in Anakat'a ulaşmayı hedeflediği üç gün boyunca onu hayatta tutmaya yeterdi. Tabii, eğer Al'i içerden gördüğü hasar her neyse kan kaybından ölümüne sebep olmazsa. Beck, bilinçli olarak bunun üzerine düşünmedi çünkü yapabileceği hiçbir şey yoktu.

En sonunda, "Tamam," dedi Al. "Hadi son bir kez bakalım." Gözleriyle iki çocuğu yukarıdan aşağıya doğru hızlıca kontrol etti.

Uçaktaki bagajlardan iki tanesi sırt çantasıydı, bu yüzden onları boşalttılar ve ihtiyaç duydukları araç-gereçlerle doldurdular: Halat, su geçirmez muşamba, Tikaani'nin uçakta bulduğu plastik şişeler, ilk yardım çantasından birkaç parça hidrofil pamuk, antiseptik krem, sargı bezi ve her biri için yedekte duracak kuru üst baş. Beck tüm valizlerdeki kıyafetleri yağmalayarak her ikisine de pantolon, kazak ve yünlü hırka temin edebilmişti. Tikaani'ye bahsettiği onları sıcak tutmak için bir araya getirilmiş çok sayıda ara katman. Üstlerinde su geçirmez hafif ceketleri; ayaklarında sağlam ve dayanıklı botları, şapkaları ve parmakları birleşik eldivenleri vardı.

"Atalarını gururlandıracaksın Tikaani," diye ekledi Al.

Tikaani küçümseyen bir gülümsemeyle karşılık verdi. "Atalarım içinde idrar bulunan geleneksel cilt kürünü kullanmak istemeyişimin sebebini öğrenmek isterlerdi."

"Sanırım bunu bu şekilde yapmayı tercih ederim."

Al güldü ama sesi zayıf geliyordu ve Beck, sonuna kadar dayanabilmesi için binlerce kez dua etti. Beck ona son bir kez sarıldı ve Tikaani de beceriksizce elini sıktı.

"Başaracaksınız," dedi Al, cesur bir gülümsemeyle. "Şimdi gidin ve beni kurtarın."

Bir saat sonra, Beck, ormanda yürüyen tek canlı türünün kendileri olmadığına dair kanıtlar buldu.

Yolculuk şimdiye dek kolay geçiyordu. Ağaçlar, tundra üzerinde yoğun bir şekilde kümelenmemişti. Eğer herhangi bir çalılıkla karşılaşırlarsa, çevresinden rahatlıkla dolaşabiliyorlardı. Botları, ölü çam iğnelerinin oluşturduğu yumuşak bir halıya sürtünerek ilerliyordu. Beck, bunun, içinde ağaçların yetiştiği devasa bir çayır mı yoksa geniş çimenlikli alanlara sahip kocaman bir çam ağacı ormanı mı olduğuna karar veremiyordu. Bir noktada özellikle bir ağaç dikkatini çekti.

Bu bir çam ağacıydı ve ağacın kabukları aşağıya kadar lime lime soyulmuştu. Yaklaşık üç metre boylarında iki çocuktan da oldukça büyük bir şey tarafından gövde kısmına derin oyuklar açılmıştı.

"Bunlardan birini ne zaman bulacağımızı merak ediyordum."

Tikaani, hasar gören gövdeyi inceleyerek, "Bu bir ayı işareti," dedi.

Ayı işaretiydi gerçekten, Beck ona katıldı. Ayı, ağacı tıpkı dev bir tırmalama tahtası gibi kullanmıştı. On beş santimetrelik pençeleri gövdesini adeta bir karton gibi parçalamıştı. Hayvan, ağaç kabuğunun altındaki böcekleri arıyordu.

Arkadaşına baktı. "Daha önce ayı gördün mü?"

KURT YOLU

Tikaani'nin ağaçtaki izin ne olduğunu anlaması onu şaşırtmamıştı. Beck, ayıların bulunduğu bir ülkede ne yapılacağına dair eğitilmişti ama aslında bir ayıyla daha önce hiç karşılaşmamıştı.

Anakat'ta büyüyen Tikaani için bu pek olası değildi.

"Bazen, evet, çok uzakta ama sonra daima bunu yaparım." Tikaani değneğini en yakınındaki ağacın gövdesine sertçe vurdu ve sırıttı.

Beck başıyla onayladı. Tikaani, ayı bulunan ülkelerde seyahatin en iyi yolunu tarif etmişti. Bol miktarda gürültü yapın. Bu, ayıları muhtemelen uzak tutacaktır.

"Kalabalıktan uzak dururlar ve kasabaya hiçbir şekilde inmezler." diye devam etti Tikaani. "Anchorage gibi bir şehirde yaşamayı tercih etmemin nedenlerinden sadece biri. Ayrıca, bilirsin, musluktan akan sıcak ve soğuk su, merkezi ısıtma sistemi..."

Beck, Tikaani'nin kurduğu mantıkta bariz bir hata fark etti. "Kalabalık değiliz veya bir kasabada da değiliz," diye vurguladı. "Bizden korkmayabilirler."

Tikaani yüzünü buruşturdu. "Tamam, B planı: göz temasını kesmeden yavaş yavaş uzaklaşırsın. Babam, ayıların bazen arka ayakları üzerinde dikildiklerini ama bunun sadece meraklarından ve seni daha iyi görebilmek için yaptıklarını söyler. Bu saldırıya geçeceği anlamına gelmez. Bazen de biraz numaracı olabiliyorlar. Dişlerini gösterirler ve saldıracakmış gibi yeri yumruklarlar, ama bunu sadece korkutmak için yaparlar. Bu kesinlikle işe yarar." diye ekledi.

Beck tekrar başıyla onayladı. Şimdiye kadar hiç de fena değildi.

"Sadece kimin baskın olduğunu belirlemek isterler," diye açıkladı. "Ama diyelim ki bunca şeyden sonra hâlâ üstüne geliyor. Mesela, bir anne ayı ve yavrularının tam ortasında kalmışsın..."

Bu, dünyada bulunulabilecek en saçma yer olmalıydı... Anne ayı, Beck'in bildiği üzere, baskın olmak ile ilgilenmezdi. Sadece tehdit olarak gördükleriyle ilgilenirdi.

Tikaani'nin yüzündeki keyifli ifade dondu. Sonra en yakın ağaca sopasıyla iki kez çok sert vurdu. "Tamam. Sonra biz, hmm... biz..." Tek kaşını havaya kaldıran Beck'e doğru rica ederek baktı. "Kaçarız?"

Tikaani'nin eğitiminin bittiği yerdeyiz gibi görünüyordu.

"Eğer sadece akşam yemeği olmak istiyorsan," dedi Beck. "Senden daha hızlı koşabilir ve yüzebilirler..."

Tikaani en yakınlarındaki ağaca kısa bir bakış attı.

"... ve kesinlikle daha yükseğe tırmanabilirler." diye bitirdi Beck.

"Peki ne yapacağız?" diye mırıldandı Tikaani.

"Pekala. Kahverengi ayılar..."

"Bozayılar."

"Bozayılar veya onlara her ne diyorsan artık, yere uzan."

"Hı?" Tikaani gözlerini ona dikmişti.

"Ölü taklidi yap. Kıvrıl, yan uzan (Beck iki elini boynunun arkasında kenetlemişti) ve ellerini bu şekilde koy. Böylelikle bütün yumuşak kısımlarını koruyabilirsin."

"Bu teknik bir terim mi?"

"Ve gerçekten bir tehdit olmadığını gösterirsin. Fakat bu şekilde kalmak zorundasın. Çantanı çiğnemeye çalışabilir veya seni birazcık tartaklayabilir. Eğer karşı koymaya çalışırsan bu onları sadece sinirlendirecektir."

"Demek bu işe yarıyor?"

"Sami'lerin bana söylediği bu. Fakat, bu, kahverengi ayılar içindi. Kara ayılara ise sadece Kuzey Amerika'da rastlayabilirsin ve muhallebi çocuğu Eski Dünya kuzenlerinden farklı olduklarını belli ederler."

"Nasıl?" diye şüpheyle sordu Tikaani.

"Şöyle ki, ilk etapta saldırıya daha az meyilliler ama eğer saldırırsa, muhtemelen aç oldukları içindir ve senin ölü taklidi yapmanla ilgilenmeyeceklerdir. Ayrıca, senden daha hızlı koşabiliyorlar..."

"Ve tırmanabiliyorlar ve yüzebiliyorlar, burayı anladım biraz..."

"Bu yüzden sadece dövüşmek zorundasın."

"Dövüşmek," dedi düz bir şekilde Tikaani. "Aslına bakarsan o kadar uzun değilim. Bana karşı kocaman bir ayı mı?"

"Agresif davran," dedi Beck.

"Unutma, yine baskın olma çabası. Eğer çıkartmak için vaktin varsa çantanı ya da ceketini ona doğru sallayabilirsin. Fakat eğer zamanın yoksa, yukarı aşağı zıplayıp bağır ve kollarını salla." Kollarını başının üstünde tutarak Tikaani'ye doğru hamle yaptı. "Raah! Ona yıkılmayacağını göstermek zorundasın. Seni sınamak ve yemek, bunu yaptığına değmemeli."

"Hayır, buna değmeyecektir," diye katıldı Tikaani. "Bahse varım ki benim tadım gerçekten ama gerçekten berbattır ve bunu kesinlikle onlara da söyleyeceğimden eminim."

Beck güldü. "Yalnız, bunu öğrenmeleri için onlara şans verme!"

Zaman geçmesine rağmen hiç ayı görmemişlerdi. Beck, yanlarındaki suyu içtiklerinden ve makul aralıklarla biraz yemek yediklerinden emin oluyordu.

Yanlarında götürmek için geçtikleri yerlerdeki bazı çilekleri ve mantarları topladıklarından da. Çok hızlı hareket etmelerinin bir anlamı yoktu. Bu onları tüketirdi.

"Günde düzenli üç öğün yemek bulamayacağız," diye açıkladı. "İlerledikçe sadece otlanacağız."

Neyse ki büyükannesinden aldığı eğitim sayesinde Tikaani zaten bitkilerin çoğunu biliyordu. Yere yakın kısa bitiklerin arasında yetiştiği için bulunması kolay olmayan yaban mersini gibi meyveleri bulabiliyordu. Bu meyve çok küçücüktü ve parmaklarınla uyguladığın hafif baskıyla ezilebilirdi. Kaçınılmaz bir şekilde patladığındaysa parmaklarını tatlı ve mavi mürekkebe boyuyordu. Çok lezzetliydi.

Beck, geçtikleri yerlerde bulunan başka doğal lezzetleri tanıttı. Pembe renkli yakıotu filizleri vardı. Adı, yapraklarının renginden geliyordu ama güçlü tadına da mükemmel şekilde uyuyordu.

Yerden topladıkları öksürükotu ve düz yeşil yapraklarının şekli tıpkı iskambil destesinden çektiğiniz Maça As'ına benziyordu.

Ayrıca iki çocuğun da tam olarak tanıyamadığı bitkiler vardı. Daha sonra test etmek için muhtemel adayları toplayıp bir araya getirdiler.

Beck biraz daha öksürükotu önerdiği zaman, Tikaani açıkça "Bu kadarı da fazla," dedi.

"Resmen bitki yiyoruz."

Beck ona yan yan baktı. "Çilekler de bitkiydi ve yedik," dedi kibarca.

"Haklısın," Tikaani gülümseyerek ona katıldı. Yaprağından bir ısırık daha aldı ve kaşları havaya kalktı. "Tamam, tadı o kadar kötü değil." Düşünceli görünüyordu. "Hatta atalarıma, benim doğumuma kadar soylarının devamını sağladığına göre belki biraz daha saygı göstermeliyim."

Beck tekrar yola çıkmak için kalktıklarında gülüyordu. "Belki bunları paketleyip satmalılar. Atalarınızı canlı tutar!"

Tikaani hemen Beck'e ayak uydurdu. "Büyükbabam kesin 'neden mağazadan satın alıyorsun?' derdi."

Beck alaycı bir şekilde, "Yani sizin gelişim planınızı tam olarak desteklemiyor mu?" diye sordu.

"Tam olarak... desteklemiyor." Konuşmasına yeteri kadar kısa bir ara vererek aslında durumu olduğundan daha hafif anlattığını vurguladı. Suratını astı. "Mağazalar geleneksel değildir. Yani demek istediğim, ben yiyeceklerin süpermarketlerde yetişmediğini biliyorum, değil mi? Plastiklere sarılı veya kutulara konulmuş her şey kir, bakteri ve diğer şeylerle birlikte toprakta yetişti. Bir paket dana kıyma satın aldığında bunun anlamı bir yerlerde bir inek öldüğüdür. Bir sürü kan ve sakatatla birlikte. Bu iş böyledir. Ben, sadece, bu sürecin tümüne bizzat katılmaktaki amacı anlayamıyorum."

Sırıttı. "Hatırlıyorum bir keresinde bir şeyler yemek istememiştim. Bana demişti ki, 'Amcan Kavik bu yemeği getirmek için hayatını riske attı!' ve ben de aynen şöyle dedim:

"Şey, keşke bunu yapmasaydı." Sonra çekilmiş bir kulak ile yatağa gönderildim. Böylece yemek israf oldu ve Kavik Amca bir hiç için hayatını tehlikeye atmış oldu.

Tikaani iç geçirdi. "Asıl olay; eğer bir çiftlikte kendi yiyeceğini yetiştiriyorsan, birileri yakalamalı, temizlemeli ve hazırlamalı ama onu mağazadan alıyorsan, hiç kimse hayatını riske atmak zorunda kalmaz ve diğer işlerini yapmak için zamanı olur."

"Mesela ne gibi?" diye sordu Beck.

Tikaani güldü, ama gülümsemesi hafiften ekşidi. "Pekala, şimdi babama geçiyoruz. Onunla iyi geçiniyorum, evet, fakat söylediği, 'Neden bütün zamanını bu bilgisayar ile geçiriyorsun? Neden dışarı daha çok çıkmıyorsun?'"

Beck sessiz kaldı. Yol arkadaşında kabarcıklar halinde yüzeye çıkmaya çalışan sözcüklerin verdiği rahatsızlık duygusunu hissedebiliyordu. Tikaani'nin bunları atmaya ihtiyacı vardı.

"Demek istediğim," diye devam etti Tikaani, "Yüz yüze görüştüğüm ilk yabancı arkadaşım sensin, doğru mu?

Fakat sen şimdiye kadar ilk yabancı arkadaşım değilsin. Sadece internet üzerinden sadece tanıdığım birkaç tane daha var. Sohbet edebilir ve birlikte takılabiliriz. Gerçekten iyi anlaşıyoruz ve başka ülkelerdeyiz. Dünya devasa bir yer ve onun bir parçası olmaktan hoşlanıyorum. Dünya'yla karşılaştırıldığında Anakat ne kadar büyük olabilir? Anakat birkaç yüz insana sahip fakat ben milyonların paylaştığı bir kültürün parçasıyım. Bunun için Anakat'ın sahip olmadığı bir şeye yani teknolojiye ihtiyacın var."

Yumruklarını sıktı ve Beck bunun son patlama olduğunu anladı: "Bu modern dünya! Teknolojiye ihtiyacın var!"

Bu konuşmadan sonra bir süre sessizce yürüdüler. Beck cebindeki GPS'i düşündü. Son zamanlarda kullanmamıştı, çünkü şarjının ne kadar az olduğunu biliyordu. Tikaani'nin söylediği her şeye katılıyordu fakat bir ilave ile: Er ya da geç, teknoloji seni yüz üstü bırakır...

Neyse ki yön bulmak zor değildi.

Beck, daha önce gözlerini ufukta bir noktaya sabitleyip ilerleyebileceği ovalar ve çöller geçmişti. Buradaki ağaçlardan ufuk çizgisini belirleyemezdiniz ama üstlerindeki dağları görebilirdiniz. Uçağı yolundan saptıran fırtına çoktan dağılmıştı. Keskin, kayalık zirveler açık mavi gökyüzüne karşı dikilmiş ve göz kamaştırıcı beyaz kardan ceketleriyle parlıyorlardı. Çok güzellerdi ayrıca Beck, girişlerini kolaylaştıracak bir geçit olduğu için çok memnundu.

Haritadan bildiği kadarıyla birkaç saat sonra bir nehre ulaşmalıydılar. Sonra dağın eteklerine varmış olacaklardı ve nihayet gece için dinlenme vakti gelecekti.

Tırmalanmış ağaç dışında, ayılara ve hatta daha doğrusunu söylemek gerekirse başka tür bir memeliye ait hiçbir işaret yoktu...

Beck'in görüş açısında bir şey hareket etti. Aniden durdu ve başını yana çevirdi. Beck'in yürümeye devam etmediğini anlamadan önce Tikaani ileriye doğru birkaç adım daha attı.

"Hey? Sorun ne?"

"Birşey yok..." diye mırıldandı Beck. Dikkatlice ağaçlara doğru bakıyordu.

Tikaani yıldırım hızıyla Beck'in yanına döndü. "Ayı mı?" diye sordu. Sopasını sıkıca kavradı. Beck, sesinin tonunun cesur çıkması için çaba sarf ettiğini fark etti.

Beck kesin bir ses tonuyla, "Hayır" dedi. "Ayı filan değildir. Hadi ama devam edelim."

Tekrar yola koyuldu, bir süre sonra Tikaani de ona yetişti.

KURT YOLU

Kesinlikle bir ayı olamazdı. Gördüğü şey yere yakın, gösterişli bir gölgeydi ve ağaçların arasında gözlerden uzak bir şekilde seyrediyordu. Onlarla aynı hızda ilerliyordu ve herhangi bir yere gitmeye niyeti yoktu.

Sami kabilesiyle birlikteyken de buna benzer bir durum ile karşılaşmıştı.

Tam olarak hangi hayvanın böyle hareket edeceğini biliyordu. Acele etmeksizin sinsice takip edip sayıca çoğalmak için destek kuvveti bekler.

Beck dudaklarını ısırdı, sopasını sıkıca kavradı ve Tikaani'yi endişelendirmemek için söylememe karara aldı. Ama bir kurt tarafından takip edildiklerinden kesin olarak emindi.

BÖLÜM 5

Beck nehir kıyısında durdu ve dehşet içinde baktı.

Kristal berraklığındaki su, dağlardan aşağıya geliyor ve çakıl taşlarıyla kaplı yatağın üzerinden akıyordu. Akıntı o kadar güçlü değildi. Aslından oldukça davetkâr görünüyordu. Su hafifçe dalgalanıyor ve güneş ışıkları bu dalgacıklardan yansıyarak parlıyordu.

Nehir sadece elli metre genişliğindeydi. Seksen kilometre uzunluğunda olabilir diye düşündü. Akıntı tarafından sürüklenen bir dal, nehrin içinde yavaşça dönüyordu. Ortalama bir bisikletlinin sürati ile Beck'in yanından çarparak geçti.

Beck önce bir yumruğunu sıktı, sonra diğerini. Kafasını yumruklarının arasına aldı. "Off ya!" İyi mesafe kat etmişlerdi.

Ayıdan bir iz yoktu. Hatta, kurt sureti bile bir daha kendini göstermemişti. Beck vahşi doğada istikrarlı bir yürüyüş temposu ayarlamıştı. Bu sırada bir gözü her zaman Tikaani'deydi. Çok hızlı ilerledikleri için diğer çocuğun zorlandığını farkettiğinde, Beck yavaşlıyordu... Kayanın yanında bir barınakta kurtarılmayı beklerken yavaşça ölmekte olan kişi

Tikaani'nin amcası değildi. Fakat Tikaani bir kere temposunu yakalayınca tüm yol boyunca ona ayak uydurabilmişti.

Sonunda, işte buradaydılar. Beck kızgın bir şekilde nehre gözlerini dikti. Dudaklarını ısırdı ve yakınındaki bir taşa tekme attı.

"Hey." Tikaani yan taraftan ona bakıyordu. "Nehrin burada olduğunu biliyordun, değil mi?"

"Evet. Biliyordum" dedi Beck, boğuk bir sesle. "Haritadan ve GPS'den. İkisinde de var."

"Eee?..."

"Ne kadar büyük olduğunu göstermiyorlar. Gerçekten çok daha küçük bir şey umuyordum... ve eğer mevsim ilkbahar olmasaydı, öyle de olurdu."

Nehir, dağlardan gelen erimiş kar sularıyla kabarmıştı.

Kışın, buz tutuyordu. Yazın tembel bir akıntının oluşturduğu bir dereydi. Tam burada ve şu anda bütün yıl boyunca olabileceği en gösterişli halindeydi.

Karşıya geçmek beklediğinden çok daha zor olacaktı. Tam olarak öfkeli bir sel değildi. Suda beyaz köpükler yoktu ama hâlâ yapabileceği çok şey vardı. Sakin ama acımasızdı ve dikkatli olmayan yolcuları bir anda önüne katmaya hazır.

"Peki..." Tikaani nehiri kaşıyla göstererek. "Nehir boyunca devam ediyoruz?"

"Keşke öyle olsaydı." Beck akıntıya kaşlarını çattı. "Evet, eğer kaybolmuş olsaydık, nehri takip etmek en doğru hareket olurdu. Nehir bir yerlere gidiyor olmalı. Takip edersen ilerisinde bir kasabayı veya insanları bulabilirsin."

"Fakat," Tikaani vurguladı, "biz kaybolmadık."

"Hayır kaybolmadık" diye onayladı Beck.

"Tam olarak nerede olduğumuzu biliyoruz." GPS'i çıkarttı ve elini pantolonunun içine soktu.

Tikaani şaşkınlık içinde kaşlarını çatmış bakıyordu. "Yani iç çamaşırımızı karıştırmanın bize tam olarak nasıl bir yardımı olacak?" diye sordu.

Beck sırıttı ve arkadaşına aldığı pilleri gösterdi. "Bunların sıcak tutulması gerekir." diye açıkladı. "Ne kadar soğuklarsa, o kadar hızlı enerjileri biter. Şimdi anladın mı?" Pilleri yerine yerleştirdikten sonra GPS'i açtı ve ekranı inceledi. "Bu nehir denize açılmasına birkaç kilometre kala dağların eteklerinde kesiliyor." dedi. "Eğer bir yerlere varana kadar nehri takip edersek çok fazla zaman kaybederiz. Bunun yerine Al Amca'nın yanına geri dönüp onunla beraber bekleyebiliriz."

"Peki biz... Nasıl yani? Suyun içinden mi geçeceksin?" diye sordu Tikaani.

Beck bir yandan GPS'in parçalarını tekrar sökerken; "Doğru bildin" diyerek onayladı. Aşağıya nehrin kenarına doğru yürüdü ve elleri belinde yavaş adımlarla kıyı boyunca ilerledi.

Kaşlarını çatıp gözleriyle nehri yukarıdan aşağıya süzdü. Tam olarak doğru noktayı arıyordu. "Suyun içinde yürüyeceğiz."

"Hey!" kesik ve acı bir sesle viyakladı Tikaani. "Şaka yapmıştım!"

"Malesef, ben yapmıyorum..."

Beck, nazik bir nehir olsaydı sal yapmayı deneyebilirdim diye düşündü. Fakat şimdi bir tane yapsa bile bu akıntıya kapılıp giderdi. Suda yürümek tek cevaptı. Beck, bunun bir kürek çekmekten daha çok çaba gerektirdiğini zaten biliyordu. Pantolonlarını dizlerine kadar kıvırmak ve karşıya yürümek pek yapılası değildi.

"Peki..." Tikaani, Beck'in kıyı boyunca attığı adımları izliyordu. "Şu an tam olarak ne yapıyorsun?"

"Karşıya geçmek için uygun bir yer arıyorum."

Dokun ve ilerle türünden bir yer olacaktı. Beck'in sesli dile getirmediği şeylerden. Soğuk su senin gücünü emerdi ve su altındaki engellerin oluşturacağı tehlikeler vardı. Kendilerine karşıya geçilebilecek en iyi yeri bularak bir avantaj sağlamalıydılar.

Beck'in kıyıdaki her noktanın birbirini eleyen artı ve eksilerinin olduğu sonucuna varması çok uzun zaman almadı. Güzel dar bir yer seçebilirdi, fakat orada akıntı güçlüydü ve su gürleyerek akıyordu. Sonra yine akıntının daha sakin olduğu yerden daha geniş bir alan seçebilirdi, ancak bu sefer karşıya geçmek daha uzun sürerdi. Çok yukarılara ve aşağılara doğru gitmek istemedi çünkü bu sadece onları yollarından saptırırdı.

Sonunda Beck bir kayaya oturdu ve botlarının bağcıklarını çözmeye başladı. "Buradan yapacağız." diye bildirdi. "Önce ben gideceğim. Yolun güvenli olduğundan emin olacağım."

"Tamamdır," Tikaani homurdandı. "Eğer akıntıyla sürüklenirsen, suya dalarım ve denize doğru yüzen bir balık yemi olmadığından emin olurum." Beck omuz silkti, sonra sırıttı. "Ya da sadece başka bir yolu denersin?" İlk önce fazladan giydiği bütün kıyafetleri çıkardı ve onları sırt çantasına sıkıştırdı.

Buz gibi havada üstlerinde sadece bir kat kıyafetle kalma fikrine itiraz etmesine rağmen Tikaani'ye de aynısını yaptırdı. Her ikisi de üstlerinde bir gömlek ve pantolonla kaldı. Onları sıcak veya kuru tutamazdı, ama akıntı onları bir kayaya sürüklerse koruma sağlayabilirdi. Beck, çorapsız ayaklarına botlarını geçirdi. Yarılmış bir ayak veya incinmiş bir bileğe ihtiyacı yoktu.

Bağcıklarıyla son düğümü attı ve Tikaani'nin acıklı yüz ifadesine gülümseyerek, "güven bana," dedi. "Karşıya geçtikten sonra kuru çoraplarını ayağına geçirmek çok iyi hissettirecek."

Çantalarını sudan korumak için paltolarına sardılar ve kendi ev yapımı halatlarını kullanarak kollarını ve açık kalan uçlarını düğümlediler. Beck, Tikaani'ye, sırt çantasının nasıl yukarıdan bağlanacağını gösterdi. Bu sayede her zaman olduğu gibi belinde değil boynunun arkasında sallanacaktı. Son olarak kendisi için de aynı şeyi yaptı.

Tikaani'nin iyiliği için zorla gülümseyerek, "Burada hiçbir şey yok." dedi.

Arkasını döndü ve nehre doğru yürüdü.

İlk adımda ayakları sadece soğuğu hisseti. Sonra botunun içine ufak bir su sızıntısı girdi ve yarım saniye sonra onu buz gibi soğuk bir su seli takip etti. İrkildi ama yürümeye devam etti. Sonunda su botlarının üzerine kadar çıkmıştı ve dizlerine kadar tırmanmaya devam etti.

Soğuk, bir karınca ordusu saldırısı gibi kemiklerini ısırıyordu. Kar suyunun buzdan daha ılık olması gerektiği hâlde yine de buz gibi soğuktu.

Nehrin kuvveti ayak bileklerinin aşağı doğru çekmeye çalışan görünmez bir kement gibiydi. Akıntıya direnç göstermeden, ters yönde gitmemeye çalışarak ve ağaç kütüğü gibi sürüklenen engellere dikkat etmeye çalışıyordu. Nehir sağından soluna doğru akıyordu. Burun dalgaları, suyun vurduğu sağ tarafından neredeyse belinin üstüne kadar çarpıyordu. Soğuk, akciğerlerini felç ediyor gibiydi ve bu yüzden zorlukla nefes alıyordu.

"İyi gidiyorsun," diye seslendi Tikaani.

Beck, arkasına bakmadan kekeleyerek "Te-şek-kür" dedi. "Hiç daha iyi olmamıştım."

Kolombiya'dayken arkadaşlarıyla beraber bir nehirden geçmişlerdi. Ormanda buldukları sarmaşıkları halat olarak kullanıp destek almışlardı. Böylece kimse akıntıya kapılmamıştı ama burada sarmaşık yoktu ve çantalarını yukarıda tutmak için bağladıkları ev yapımı halatları yeterince uzun değildi. Akıntıya kapılırsa mücadele etmenin bir yolu yoktu.

Bu yüzden her adımını özenle planlaması gerekiyordu. Suda yumuşamış kayaların ayağının altından kaydığını hissedebiliyordu. En azından suyun altında sabit durmak için iki bacak ve bir sopa sayesinde üç tane dayanak noktası vardı. Her zaman üçüncüyü hareket ettirmeden önce diğer ikisini sabitlediğinden emin oluyordu. Öne doğru ilerlettiği Hissizleşmiş ayağına ağırlığını vermeden önce sağlam bir zeminde olduğundan emin olması gerekiyordu.

Hipotermi başlamadan önce yaklaşık on dakikası kaldığını biliyordu. Vücudu ısı ürettiğinden daha hızlı bir şekilde ısı kaybedecekti. Tam şu an vücudunun her bir parçası geriye dönüp Tikaani'ye doğru koşmak istiyordu. Ancak soğuk, ıslak ve hâlâ yanlış kıyıda olması dışında hiçbir şey başarmamış olacaktı. Bu kadar vücut ısını bir hiç için kaybetmenin anlamı yoktu.

Yani bu akıntıda karşıya geçmek için on dakikası vardı.

Soğuk, tüm vücudunu ısırıyordu. Kalçasına, karnına ve hatta kaburgalarına kadar ulaşmıştı. Nefes almak bir çeşit işkence hâline gelmişti şimdi. Ciğerlerine girip çıkan her havayla soluğu kesiliyordu. 'Huf! huf! huf!' İlerledikçe su derinleşiyor, derinleştikçe vücudunun daha da fazlası akıntı içinde çabalıyordu.

Su artık koltukaltlarına kadar çıkmıştı. Dirseklerini yukarı kaldırdı ve çenesini kuru tutmak için kafasını arkaya doğru eğdi. Kafasının arkasında duran sırt çantasının çılgınca sallandığını hissedebiliyordu.

Çantaları su geçirmeyen malzemeyle paketledikleri için kuru kalmalarını umut etti.

Şimdi soğuk ısırığı hissi geçti; kemiklerinin içine işleyen derin sızı dışında vücudu hissizleşmişti. Atık o kadar hissizleşmişti ki ancak birkaç adım daha attıktan sonra fark edebildi. Su seviyesi alçalıyordu!

Beck onaylamak için aşağı doğru bir göz attı. Evet, attığı her adımda su seviyesi göğüs hizasından biraz daha aşağı iniyordu. Yolu yarılamıştı. Vücuduna bir rahatlama hissi yayıldı. Bunu başarabilirdi.

Daha sonra hain bir taş ayağının altından kaydı ve ayaklarını yerden kesti. Kafasına kadar suya gömülmüş buz gibi gürleyen akıntının içinde tepe taklak sürükleniyordu.

Beck düşünmeden tepki verdi ve bastonuyla nehir yatağına tutundu. Bu ona birkaç saniye kadar ayağını tekrar yere basma şansı verdi ve ayağa kalktı. Kafası suyun yüzeyinin yukarısına ulaşmış, ışığa ve havaya geri dönmüştü.

Başından aşağı su akarken Nefes almak için haykırdı,

"Beck! Beck!"

Tikaani, kıyıdan aşağıya doğru onun peşinden koşuyordu. Sadece birkaç saniye içinde Beck akıntı yönünde çok uzağa sürüklenmişti.

"İyiyim," dedi, nefes nefese. Sırılsıklamım ama olsun diye düşündü. Saçını gözlerinin önünden çekti ve ne kadar uzağa gittiğini görebilmek için Tikaani'ye döndü.

Aslında akıntı ona bir iyilik yapmış ve onu karşı kıyıya biraz daha yaklaştırmıştı. Suyun altındaki ve üstündeki iki ayrı soğuğu da hissedebiliyordu.

Battığı esnada sırt çantasının suyla temas etmemesini umut etti, eğer umduğu gibi değilse ve içindeki her şey ıslanmışsa, hayat çok daha ilginç bir hal alacaktı.

Kaza sırasında vücuduna pompalanan adrenalin, devam etmek için yeniden güç vermişti. İki dakika sonra su diz seviyesinin altına kadar düşmüştü. Sonra sığ suda sıçrayarak nihayet karşı kıyıya çıktı.

Kendini yere bırakıp dinlenmeyi çok istedi, ama bu şekilde sadece yavaşça donardı. Hareket etmek zorundaydı. Daha hızlı ısınabilmek için kollarını iki yana açarak çevresinde dairesel olarak döndürdü ve kanın ellerine geri dönmesi için zorladı.

"Tamamdır!" Yukarı-aşağı zıplarken Tikaani'ye seslendi. "Senin sıran. Dikkat et..." Bir an duraksadı, yirmi metre aşağısında suyun üstünden oluşan bir dalga dikkatini çekti. Görünen o ki, nehir ufak bir rampa görevi görerek oradaki suyun hareketsiz kalmasını sağlamıştı. Güneş nehrin üstüne parlıyor ve bulunduğu açıdan açıkça görülebiliyordu. Nehrin diğer kıyısında tüm nehir aynı renk göründüğü için bunu fark edememişti.

KURT YOLU

"Tikaani, buraya gel." diye seslendi. Eğer durağan bir dalga varsa bunun anlamı nehir yatağında akıntıya karşı gelen bir engel olduğudur.

Bu noktada zeminden nispeten yüksek bir sırt olmalıydı. Bunun anlamı karşıya geçen yolda daha sığ bir yer olabilirdi...

"Bu taraftan," diye yol gösterdi. "Destek için sopanı kullan, her adımını dikkatlice at..."

On dakikadan daha kısa bir süre içinde Tikaani de nehrin karşı kıyısına güvenle geçmişti. Akıntı ve soğuk karşısında zorlanmıştı, fakat bir kere bile ayağı kaymadan kıyıya ulaşmıştı. Bu süre zarfında Beck, tamamen yeni kuru kıyafetler giymişti. Şanslıydı, sırt çantasının için sadece birkaç damla su girmişti. Odun toplamıştı ve ateş için biraz da yaşlı adam sakalı. İlk alev çıktığı sırada Tikaani kuru çoraplarını giymişti bile.

"Tıpkı dediğin gibi..." Arkadaşının dikkatini üstüne çekti, gözleri mutluluk içinde kapandı. "Bu gerçekten çok iyi hissettiriyor."

Beck sırıttı.

Bugün için son durakları burası değildi ama Beck, ikisi için de şu an en çok ihtiyaç duydukları şeyin bir ateşin sıcaklığı olduğunu biliyordu. Hâlâ gün ışığından faydalanmak için uzun bir zaman vardı. Bu kadar uzak kuzeyde gece saat on birden önce karanlık çökmezdi. Rahatlamak için burada birkaç saat geçirmeliydiler, sonra yüksek tepelerle mücadele edebilirlerdi.

Başlarının üzerinde yükselen dağlara doğru bir göz attı.

Tikaani onun bakışlarını takip etti. "Bundan sonrası hep yokuş yukarı olacak, değil mi?"

Beck başını sallayarak onayladı. Nehrin en uzak kıyısına kadar uzanan toprak düz bir zemindi ve yassıydı. Bulundukları alandan itibaren yukarıya doğru eğim başlıyordu ve daha da ilerledikçe bu eğim artıyordu. Nehir gerçekten de dağların eteğindeydi.

Kurdu tekrar görmemişti. Nasıl olsa artık nehrin diğer kıyısında mahsur kalmıştı. Ancak bundan böyle diğer güçlerin artan saldırısı altında olacaklardı.

Rüzgâr, buz, kar, soğuk, hatta yerçekimi. Ateş veya yiyeceğin olmadığı, farkına bile varmadan yavaşça seni öldürebilecek bir bölge.

"Hep yokuş yukarı." diye Tikaani'ye katıldı.

BÖLÜM 6

Nehirden ayrıldıktan sonra iki saat daha tırmandılar. Konuştular ama çok değil. Nefeslerini yürüyüş için saklamak çok daha önemliydi. Beck bir yandan arkadaşına göz kulak oluyordu. İlk kez dağa tırmandığında bacaklarındaki bütün kasların nasıl çığlık attığını hatırladı; muhtemelen şu an Tikaani de böyle hissediyordu. Beck ona yöntemi gösterdi: Bir ayağını diğerinin önüne at, sabit bir ritim tuttur ve ilerlemeye devam et. Her bir saatte beş dakikalığına durmalısın; bu süre bacaklarının hamlamasını engellemek için yeterliydi. Dinlenme periyodu sona erdiğinde hemen yola koyulmak için zihinsel disipline ihtiyaç vardı.

"Sadece acı eşiğini zorlamalısın," diye arkadaşını teşvik etti. "Kendini her zaman bir adım daha atarken bulacaksın. Sonra başka bir adım daha ve en sonunda vücudun buna alışacak."

Böylece ağır adımlarla yukarı doğru çıkarken toprak zemin gözlerinin önünden yavaşça geçip gidiyordu. Arkalarından vuran dondurucu rüzgâr tek başına bile soğuk yakmasına sebep olabilecekken sırt çantaları bu saldırıları karşılamak için onlara yardım ediyordu. Beck daha önce öğrendiği bir detayı hatırladı: Her yüz metrede bir yükseklik arttıkça sıcaklık iki derece düşer. Bu hesaplamayla dağların tepesine ulaşmadan önce donma noktasına gelmiş olacaklardı. zaten zirvelerin kar ve buz içinde olması tam da bu yüzdendi.

Dolayısıyla yokuş aşağı inmeye başladıklarında her yüz metrede bir sıcaklık iki derece artacak anlamına geliyor. Bunun olmasını sabırsızlıkla bekliyorlardı.

Beck olası bir ayıyı korkutmak için nasıl ses çıkaracağını düşündü, fakat ağaçların bu kadar ince olduğu bir yerde bunun hakkında endişelenmesine gerek yoktu.

Ovada gezmek için daha çok sebepleri olduğundan, herhangi bir ayının bu kadar yüksek yerlerde takılacağına inanmıyordu Beck. Hayvanlar, insanlar üzerinde büyük bir avantaja sahip diye kederli bir şekilde düşündü; kendileri için nerenin daha iyi olduğunu bilir ve orada kalırlar.

Sonunda bugün için artık mola vaktinin geldiğine karar verdi.

"Burası," dedi. Durmadan yükselen arazi küçük bir kavis yapmıştı ve zemin düzdü. Son ağaçların arasındaydılar. Buranın üst tarafı ince bir toprak örtüsünün altında sadece taştan oluşuyordu ve hemen sonrasında ise yalnızca kar ve buz vardı.

Bulundukları yeri işaretlemek için sırt çantasının klipslerini törensel bir edayla açtı ve çantanın sırtından yere düşmesine izin verdi. Tikaani de aynısını yaptı.

"Teşekkürler," dedi arkadaşı ciddiyetle, sonra ağrıyan bacaklarını rahatlatmak için birkaç adım daha attı.

"Sensiz gerçekten bunu başarama- Vay be!"

Tikaani geldikleri yola bakakalmıştı. Beck de yanına geldi ve Alaska'nın tepesinden gururla çevreye baktılar.

Beck nehri geçtikten sonra yaklaşık olarak bin metre daha tırmanmış olduklarını tahmin ediyordu. Aşağıda içicice geçmiş ağaçların ve tundranın görüntüsü, ufuk çizgisinin gri gökyüzüne kavuştuğu yere kadar olan tüm araziye fırlatılmış yamalı bir yorganı andırıyordu.

Belki de uçağın içindeyken daha yüksekteydiler ama o kadar yukarıdayken manzaraya dışarıdan bakıyor gibi hissedersin. Şimdiyse yeryüzünde dikilen bu iki çocuk, gerçekten de karşılarındaki dudak uçuklatan manzaranın bir parçası olduklarını hissediyorlardı.

Tikaani şaşkınlık içinde, "Bunların hepsini bugün mü yaptık?" diye haykırdı. "Biz mi yaptık?"

"Evet," diye katıldı Beck. "Biz yaptık."

İnanılmaz manzaraya daha az bir hevesle baktı. Normalde bu manzarayı izlemekten büyük bir zevk alırdı.

Ancak aşağıda bir yerlerde Al Amca derme çatma barınağındaydı ve durumu daha iyiye gitmiyordu. İşte bu yüzden, Tikaani çok aşağılardaki tundraya bakıp müthiş güzelliğine hayret ederken, Beck yolculuğun üçte birini tamamladıklarını düşünüyordu. Üçte ikisi hâlâ önlerinde duruyordu.

Tikaani'nin omzuna hafifçe vurdu. "Hadi ama, hâlâ gün ışığı varken barınak yapmalıyız."

Düşünceli bir şekilde çevresinde bakındı. A-çerçeve, ideal bir barınak yapmak istedi.

Sağlam olurdu ve doğal unsurlara karşı en iyi korumayı sağlardı. Ancak bunun için bir ağaçtan kesilmiş sağlam, güçlü dallara ihtiycı vardı ve yanında testereden değil yalnızca bir tane Bowie bıçağı vardı.

"İlkel bir barınak yapacağız," diye karar verdi. "Ve buraya yapacağız."

Bir çam ağacı ile omzuna kadar gelen bir kaya parçası arasında duruyordu.

Ağaçla hemen hemen aynı yükseklikte bulunan bir dal kollara ayrılıyordu. "Bunun gibi iyi ve düz bir dal daha bulmalıyız." Çatallanmış dala hafifçe vurdu sonra kayaya dokundu. "Buranın karşısına yaslayalım çatalı, diğer dalları ve çalı çırpıyı buna karşı dayarız. Rüzgârı engelleyecektir ve bu sığınağın içinde uyuyabiliriz."

"Hâlâ bir tarafı açık olacak," diye belirtti Tikaani.

"Evet. Ateş bu tarafta olacak. Güven bana, halının üstünde rahatça yatan böcekler gibi sıcak ve konforlu olacağız."

"Battaniyemin üstünde herhangi bir böcek olursa," Tikaani mırıldandı, "ezilir."

Çok geçmeden, yakınlarındaki bir ağaçta bağlı ve barınağın ana kısmını oluşturacak bir dal buldular. Dal, bıçakla kesilemeyecek kadar kalındı. Ancak ikisi toplam ağırlıklarını kullanarak dalı yerinden sökmek için salladılar ta ki bıçakla kesilebilecek bir kaç bağı kalana kadar.

Dalı ağaca yasladıkları çatalla kaya arasına yatırdılar. Ana çatıyı güçlendirmek için yerdeki diğer dalları araştırmaya başladılar.

Tikaani yerdeki dalları ararlarken, "Yarın ne yapacağız?" diye sordu. Yukarıdaki dağları işaret ederek baş parmağını havaya kaldırdı. "Yukarılarda hiç ağaç yok."

"Karların içinde bir gece geçirmeyeceğiz," diye söz verdi Beck. "Bunun olmaması için elimden geleni yapacağım. Yarın bu saatlerde dağın diğer tarafındaki ağaçlık alanın üst tarafına geçmiş oluruz. Böylece muhtemelen aynı barınağı tekrar yapabiliriz. Hadi bakalım, yapraklara ihtiyacımız var, çok fazlasına. Rüzgârı geçirmesini istemiyorsak, en az on santimetre kalınlığa ihtiyacımız var..."

"Tamam," dedi Tikaani. "Sanırım şu tarafta geniş yapraklar görmüştüm..."

Birkaç saniye sonra civardaki ağaçların arkasına doğru dalmış ve görüş alanından çıkmıştı. Beck ateş yakmak için odun toplamaya karar verdi. Tutuşturmak için kullanılabilecek kuru, ölü dallardan bolca vardı. Bir avuç dolusu toplamak için yere eğildi.

"Beck! Beck!"

Tikaani ağaçların arasından fırladığı anda Beck de öne doğru atılmıştı. İki oğlan neredeyse çarpışacaktı.

"Beck!" Tikaani sıkıca tuttu ve sağlam bir şekilde kollarını yana perçinledi. "Bu bir ayı! Sanırım ayı gördüm. Kahverengiydi..."

Beck'in kalbine bir ağırlık çöktü. Ayı mı? Ayı bölgesinin dışında olduklarından çok emindi.

Küçük barınakları meraklı bir ayının karşısında bir saniye bile ayakta kalamazdı. Eğer etrafta ayılar varken uyuyacaklarsa içlerinden biri uyurken diğeri gözcülük yapmak zorundaydı ama ikisinin de iyi bir gece uykusuna ihtiyacı vardı.

"Kahverengi miydi?" diye sordu, kendini dikkatlice Tikaani'nin ellerinde kurtarırken. "Siyah değildi?"

"Hmm..." Tikaani yutkundu. Yüzü solmuştu ve terliyordu. "Evet. Öyle olduğunu düşünüyorum... Ben..."

Güzel, diye düşündü Beck. En azından onu korkutmak için bir şansları vardı.

Fakat siyah olsaydı... Siyah ayılar saldırırdı. Eğer siyah bir ayı olsaydı, başka seçenekleri yoktu. Onu korkutarak uzaklaştırmalı ve ayı peşlerinden gitmek için cesaretini toplamadan önce yola koyulmaları gerekirdi. Kar ve buza doğru ilerlemek zorunda kalacaklardı ve bu gece olması gerektiğinden çok daha huzursuz geçecekti.

"Peki," dedi. "Sırt çantanı getir ve onu sallamak için hazırla."

"Ne?" Tikaani delirmiş birine bakar gibi baktı. "Onu aramaya mı gideceğiz?"

"Belki de onu kovalayabiliriz. Etrafta dolaşmasına izin veremeyiz. Geceyi geçirmek için çevredeki dağlara sığınabilir. Bunu şu an yapmalıyız." Beck bıçağı tek eliyle kavradı ve diğer eline de bir sopa aldı. "Hadi bağırmaya başla."

"N-Ne diye bağırmalıyım?"

"Birşeyler. Herhangi Bir şey! Şarkı söyle!"

Böylece çalıların içine doğru ellerinden geldiğince gürültü çıkararak ilerlediler. Beck bıçağını değneğine vuruyordu ve hatırlayabildiği tüm tekerlemeleri bağırarak söylüyordu. Tikaani melodisiz yorumladığı *America the Beautiful* isimli şarkıyı söylüyordu.

Tikaani birkaç dakika sonra, "buradaydı," diye seslendi. "Şu kayaların hemen yanında..."

Beck yavaşça öne doğru adım attı. Aşağıdaki toprağa doğru baktı ve bir kahkaha patlattı. Sanki onu ansızın yakalayan bir hapşırık krizi gibiydi. Kendini tutmayı çalışsaydı bile beceremeyecekti. Tikaani'nin ona güldüğünü düşünmesini istemedi, o yüzden sessiz olmaya çalıştı. Kahkahasını bastırmak için hafifçe gözlerini yere dikmişti; omuzları hâlâ sallanıyordu.

"Ne oldu?" Tikaani'nin sesi başta soğuk geldi. Fakat sonra: "NE O-OL-DU?" Kahkalar bulaşıcı hâle gelmişti, istemediği hâlde diğer çocuğa da sıçradı. Tikaani, Beck karşısında kıkırdayarak dikildiği için ortada herhangi bir tehlike olmadığını fark etti.

"Baksana." Beck, içten içe gülmesini tutamayarak, dizlerinin üstüne çöktü ve sopasıyla zemini dürttü. Küçük bir öbek hayvan pisliği ve uzaklaşmakta olan kedi patileri boyutlarında bir sıra ayak izi vardı. Her bir iz ikiye bölünmüştü.

Beck, yerdeki izleri gözleriyle takip etti ve sonra işaret etti. Yaklaşık on metre uzaklarında, bir çift küçük göz çalıların arasından onlara bakıyordu. Akıllarını alan şey yaklaşık bir köpek boyutlarındaydı. Döndü, parlak kahverengi ve beyaz benekli kürküyle kaçtı.

"Bu bir geyik," dedi Beck. Hâlâ içten içe gülmesini tutamıyordu. "Karşılaşabileceğimiz en zararsız şey olabilir."

"Bir geyik!" diye bağırdı Tikaani. "Bir geyik tarafından korkutulmuşum, öyle mi?"

"Aslında..." Beck yerdeki hayvan pisliğini dürttü. "O senden daha çok korkmuşa benziyor."

Tikaani önce yerdeki küçük öbeğe, sonra Beck'e doğru baktı ve yüz ifadesi değişmeye başladı.

Sonra ikisi birden kahkaha atmaya başladı. Birbirlerinin üstüne yığılana kadar güldüler.

En sonunda, arada hâlâ kıs kıs gülerek yola koyuldular ve barınaklarını tamamladılar. Çam iğneli ince dallar, zemin ve büyük yassı dalın arasını destekliyordu. Bu sayede barınaklarında kıvrılıp saklanabilecekleri rüzgâr geçirmeyen bir duvarları oldu.

"Akşam yemeği saati!" dedi Beck. "Başlangıç olarak yaban çileği, arkasından yaban çileği ve mantarlar geliyor, son olarak da yaban çileği tatlısıyla kapanışı yapıyoruz. Hadi elimizde neler varmış bakalım..."

Yürümüş oldukları yol boyunca yiyecek toplamışlardı, bunları güvenli olduklarını bildikleri ve güvenli olabilecekler diye ikiye ayırdılar. 'Kesin güvenli olan yiyecekler' sol cebe gitmişti, 'belkiler' sağ tarafa. Ceplerini dışarıya çevirerek iki yığın yaptılar.

"Tamamdır," dedi Beck, ikinci küçük yığını araştırırken. Çilekleri karıştırdı ve parmaklarıyla yaprakları ayırdı. "Hadi hangilerinin yemek için güvenli olduğunu belirleyelim..."

"Güvenli olmadığı hâlde yemiş bulunursak ne olur?" Tikaani öğrenmek istiyordu.

"Semptomlar karın ağrısı, kusma ve ishâlden ölüme kadar her şey olabilir," dedi Beck. Konuşma tarzı sanki güvenlik talimatlarını sunuyor gibiydi.

"Tamam, can kulağıyla dinliyorum," Tikaani ciddiyetle ona katıldı.

"Peki. Sarı veya beyaz meyveleri olan her şeyden en iyisi direkt kaçınalım. Onları fırlat gitsin." Beck birkaç örneği parmağıyla fiske atarak bir tarafa doğru fırlattı. "Parlak yapraklı olan bitkileri de yollayalım"

Bu yığının biraz erimesine yardımcı oldu.

"Sonra, koklamalısın. Eğer kokusu acımtırak veya bademsiyse..."

Tikaani sevinçle, "Fırlat gitsin," dedi. Mantığını kapıyordu olayın. Burnunun üzerine bir yaprak koydu ve dikkatli bir nefes aldı. Yerdeki yığın epey küçülmüştü.

Beck geride ne kaldığını baktı. İdeal olarak, yemek testi için yirmi dört saat veya daha fazla zaman gerekir. Bu şekilde yapmak için zamanları yoktu. Beck, elinden geldiğince emin oldukları yiyeceklerden yemelerine izin verecekti. Farklı tür bitkilerden örnekler seçti.

"Ez şunları," dedi, gösterirken. "Ve çıkan meyve suyunu buraya, bileklerinin iç tarafına, hassas olan yerlere sür. Bunları ben deneyeceğim, sen de şuradakileri dene. Birbirinden farklı yerlerin üstüne sür... Eğer derin yanmaya başlarsa veya kızarırsa, onları yememeliyiz. Beş dakika bekle."

"Beş dakika boyunca ne yapacağız?"

Beck gülümsedi ve Tikaani'ye bir öbek 'güvenli' çileklerden uzattı. "İyi olanları yeriz!"

Bir ziyafet olduğu söylenemezdi ama midelerindeki boşluğu doldurdu. Test ettikleri meyvelerin hiçbiri herhangi bir zarar verecek gibi görünmüyordu.

"Mavi ve siyah olanlar tüm çilekler arasında çoğunlukla iyi olanlardır." Beck, Tikaani'ye anlattı; "Kırmızı olanlara her zaman temkinli yaklaşılmalı."

"Eğer yediğin birşeyden dolayı hastalandığı hissedersen ateşin içinden bir odun kömürü yut. Anında geri yukarı getirecektir."

"Ah, zorlu hayatı nasıl da seviyorum..." Tikaani homurdandı.

Şimdi, yemek için güvenli olan ve olmayanlar hakkında makul bir fikirleri vardı. Güneş ışığının kalan son yarım saatini daha fazla yiyecek aramak için kullandılar. Ertesi gün dağları aşıp diğer tarafta bulunan ağaçlık alana inmelerine yetecek kadar.

Nihayet uyuyabileceklerdi. Isınmak için sırt sırta uzandılar. Kafalarını sırt çantalarına yasladılar ve şapkalarını gözlerinin üstüne indirdiler. Nefes alıp verişine bakılırsa, Tikaani hemen uykuya dalmıştı. Beck'in söz verdiği gibi barınak rahattı. Rüzgâr diğer taraftan kapıyı çalıyordu, ama hiçbir şekilde içeriye girmiyordu. Barınaktaki sıcaklık sabitti ve ateş içeriyi bunaltmadan ısıtıyordu.

Beck yan tarafına uzandı ve odunların usul usul çatırdamasını dinledi.

Sonra, Al Amca'nın bundan daha büyük olmayan bir barınakta yalnız başına olduğunu düşündü. Kamp ateşini sönmeden tutabilmiş miydi? Hâlâ dayanacak gücü var mıydı? Nasıl hissediyordu?

Aniden Beck dik bir şekilde oturdu. Karanlıkta iki göz ona parladı. Beck'in kalbi küt küt atıyordu.

Gözler gitmişti fakat yemin edebilirdi...

Gözleri birbirlerine yakındı, ışığı yeşil yansıtıyordu. Köpeklerin gözleri gibi... veya kurtların.

Bu yükseklikte kurtlar olur muydu? Yarı uyur yarı uyanık hâldeydi: belki de hayal görmüştü...

Beck temkinli bir şekilde sırt üstü uzandı. Şu an yola koyulmaları söz konusu değildi, dışarıda kurtlar varsa onları takip ederlerdi. Sadece bir çift göz vardı; kurtlar sürü halinde avlanırdı, yani dışarıda çok daha fazlası olmalıydı.

Başka bir yırtıcı hayvan? Belki bir kutup porsuğu? Gözleri ne renkti? Bilmiyordu.

Ama kurtlar nadiren insanlara saldırır...

Ayrıca ateş herhangi bir hayvanı uzak tutar...

Ve...

Beck, seçenekleri düşünürken uykuya daldı.

BÖLÜM 7

"Ne arıyorsun?" diye sordu Tikaani.

Beck işe koyulmuştu; Tikaani'nin uyandığını fark etmemişti.

Yolculuklarının ikinci günüydü. Güneşle birlikte uyanmıştı. Açık havada uyuduğu zamanlar yaptığı bir şeydi bu. Sonrasında kalkıp küçük kamp alanlarının gece hayvan saldırısına uğradığına dair herhangi bir işaret olup olmadığını kontrol etmek için kalkmıştı. Hiçbir iz yoktu. bir çizik, pençe izi... Sonunda geçen gece gördüğü gözlerin sadece hayal ürünü olduğuna karar verdi. Zaten sadece anlık bir görüştü.

"Sadece... kontrol ediyorum" dedi.

Tikaani, barınağın içinde oturmuş uykulu bir biçimde gözlerini ovuşturuyordu.

"Pekâlâ, kahvaltıyı hizmetçi mi getiriyor yoksa kendimiz mi almamız gerekiyor?" diye sordu. Bir önceki sorusunu çoktan unutmuş görünüyordu, Beck'de bundan faydalandı.

Gülümseyerek, "Hizmetçi bugün izinli. Kendimiz almak zorundayız." dedi. Ardından üstlerinde yükselen dağlara baktı ve bugün için yapmaları gerekenleri düşündü. Dağları geçmek, kalın bir tabaka karla kaplı araziyi aşmak ve karşı taraftan aşağıya inmek.

"Ayrıca, yemek saatine kadar hizmetçi geri dönmüş olmazsa," dedi ve ekledi, "bana yardım edebilir misiniz diye sormak mecburiyetindeyim efendim."

Bir süre sonra Tikaani, "Biliyor musun? Anakattaki dükkânda bunun bir çifti sana yaklaşık yüz dolara mal olurdu."

Beck'in ağaçtan kopardığı ince bir dalı iki ucundan tutuyordu. Esnek ve her daim yeşil kalan türdendi ki bu kolayca bükülebildiği anlamına geliyordu.

Beck, iki ucu birbirine doğru yaklaştırmak için zorlamış ve bir tenis raketi başı şeklini almıştı. Çalışmasına göz attı ve sırıttı.

"Bahse varım, kişi için özel tasarım değildirler." diye vurguladı.

"Hayır, değiller." Tikaani ifadesiz bir suratla onayladı. "Bu kalitede işçilik satın alınamaz."

Beck her ikisine de birer çift kar ayakkabısı yapıyordu. İlerleyen zamanlarda karda yürüyor olacaklardı. Bundan daha yorucu hiçbir şey olmadığını biliyordu, ayrıca hiçbir şey, soğuk ısırığına bu denli neden olamazdı. Tikaani soğuk ısırması hakkında her şeyi biliyordu. Bu, Anak halklarından birinde büyürken öğrenmeden edemeyeceğiniz türden bir şeydi.

Vücut öz ısısını korumak için el ve ayaklarınızdan, kulaklarınızdan, burnunuzdan, parmaklarınızdan kanı geri çeker. Bunun anlamı; önceden kanın bulunduğu yerde buz kristalleri oluşur ve hücreler hızlı bir şekilde bölünür. Sonra hücreler enfeksiyon kapar ve ölür.

En sonunda, doktor hayatınızı kurtarmak için ölü uzvunuzu kesmek zorunda kalır

Hayır, soğuk ısırığı olmak istemiyorlardı.

Tikaani iki ucundan tutarken, Beck uçaktan aldığı kabloların bazıları ile onları birbirine bağladı. Sonra çantaların içinde bulduğu bir gömlekten kestiği dikdörtgen bez parçasını aldı ve biraz daha kablo kullanarak oluşturduğu çerçeveye bağladı. Bezi koyduğu yer boyunca ince sağlam çubukları, tenis raketinin telleri gibi ördü. Temel çerçeveyi güçlendirdiler ve bu sayede kar ayakkabısını giydikleri zaman ayakları için destek sağlanacaktı.

Aynı işlemi üç kez daha tekrarladılar böylelikle her biri için bir çift yapmış oldular. Sonra, eşyalarını sırt çantalarına koydular, kamp ateşinin üzerine toprak atarak söndürdüler ve sırtlarına bağlı kar ayakkabılarıyla yola koyuldular. Kara ulaşmaları çok uzun sürmedi.

Ağaçları geride bıraktılar ve ayaklarının altındaki toprak zemin sertleşti. Artık yumuşak çam iğneleri yoktu; bölük pörçük fırça gibi, tıraşlanmış görünen kısa çalıların olduğu karanlık donmuş bir toprak vardı.

İlk karlı arazi parçası toprağın üzerinde yaklaşık bir metre uzunluğunda bir yama gibiydi. Kayaların tepeciklerine bir örtü gibi seriliydi. Fakat bu yamalar gittikçe sıklaştı ve botlarının altında bir tek kar ve buz kalana kadar birbirlerine daha çok yakınlaşmaya devam ettiler. Kuru toz halindeki karın üstünde çok ince donmuş bir tabaka oluşmuştu. Donmuş buz kabuğunu kırarak ilerlerken attıkları her adımda biraz direnç sonra ayaklarının altında çatırdamayla karşılaşıyorlardı.

"Tamam" diye karar aldı. Beck, bir kayanın üzerindeki karı süpürdü ve üstüne oturdu. "Ayakkabıları giyelim."

İlk Tikaani'ninkini bağladı, sonra kendininkini. Tikaani'nin topuklarının çevresini bağlamak için daha fazla kablo kullandı.

"İlk başta biraz garip hissettirecekler.

Sen yürürken onları birbirine çarparken bulabilirsin. Buna alışmak zorundasın ve dikkatli ol. Şu andan sonra karın üzerinde yürürken el ve ayak parmaklarını sürekli kıpırdatmalısın. Her zaman. Böylece kan akışı devam edecek. Durmasına bir an bile izin verme."

"Biliyorum, biliyorum." Tikaani birkaç deneme adımı attı. "Soğuk yakması."

"Doğru. Altmış saniyede seni ele geçirebilir."

Soğuk ısırığının ilk aşaması soğuk yakmasıdır. Derinin sadece üst tabakasını etkiler, ancak ağrılıdır ve hücrelere asla geri dönüşü olmayan zararlar verir.

Tikaani, "kıpırdatacağım." diye söz verdi. Kar ayakkabılarının içinde paytak paytak yürüdü. "Tıpkı bir ördek gibi hissediyorum!"

KURT YOLU

Beck sırıttı. Arkadaşının neden böyle dediğini anlayabiliyordu. "Vak-vak!" dedi ve sonra güldü. Tikaani fırlattığı kar topunu başını eğerek savuşturdu.

Ama hava daha fazla eğlence için fazla kuruydu; yürümek için güçlerini korumaları gerekiyordu.

Zirveye doğru ilerledikçe çevrelerinde kar ve buz yükseldi. El değmemiş (bozulmamış/karla kaplı) beyaz bir alandaydılar. Beck, gitmekte oldukları geçide dair herhangi bir işaret için gözlerini ileriye dikti ama şimdilik görünürde hiçbir şey yoktu. Peki, diye geçirdi içinden, biraz daha ileride olmalıydı geçit.

Zemin inişler ve çıkışlarla dalgalanıyordu ama ortalama yön daha çok yukarı doğruydu. Çok dik olan yerlerde eğimi düşürmek için Tikaani'ye zikzak yaparak çıkmasını söyledi Beck.

Güneş hâlâ gökyüzünde alçak bir seviyede duruyordu. Aslında ufuk çizgisinin hemen üstünde onların bulundukları noktaya çok yakın bir noktadaydı ve uzun gölgeleri yan taraflarındaki buzun üstünde dans ediyordu.

Bir süre sonra zemin tekrar düzleşti. Dağın yarı yüksekliğine kadar uzanan bir platoya benziyordu. Önlerinde, onları yukarıya yönelten küçük bir açıklığı olan yüksek sarp kayalar vardı.

Sol taraflarında, yukarıya doğru uzanan dik bir yamaç vardı. Sağ taraflarında, ilkinin sağ açısında bulunan başka bir dik yamaç ile birleşiyordu.

Düz zemin, işleri kolaylaştırmıştı.

"Gözlerini açık tut ve diğerlerinden biraz daha koyu görünen karlara dikkat et," dedi Beck. "Altında hafif bir boşluk varmış gibi görünür."

"Tamam..." Tikaani çevreye bakındı. Henüz buna benzer bir şey yoktu. "Yalnız söyleyiş tarzına bakınca bu şeyin hafif bir boşluktan ibaret olduğunu sanmıyorum."

"Zaten değil," diye onayladı Beck. "Büyük bir boşluk olur! Şu an altımızda hâlâ toprak var. Fakat yukarılara tırmandıkça buz olacak. Ayrıca karın altında buz varsa, yarık oluşabilir: kırabilirsin: Buzda oluşacak büyük derin bir yarık eğer içine düşersen seni öldürebilir... DUR!"

Tikaani tam olarak olduğu yerde donakaldı. Beck aşağı, zemine doğru gözlerine dikmiş dehşet içinde bakıyordu. Ardından gelmiş oldukları yola baktı.

Ayak izleri yan yana birbirini takip ediyordu ve şu an bulundukları yumuşak kara kadar devam ediyordu.

Çok ama çok yumuşak kar. Beck çabucak çevresine bakındı ve içine bir ağırlık çöktü. Buzda, çatlaklar ararken ve çok daha büyük ve daha acil bir tehlikeyi gözden kaçırmıştı.

Deneme amaçlı, ayağıyla karı iteledi, sopasıyla yana süpürdü. Uç kısmı sert bir şeye çarptı ama açıkça duyulamayan tok bir ses çıktı. Çarptığı şey bir kaya değildi.

"Buz üstünde duruyoruz," dedi sessizce. "Bu alanın altında donmuş bir göl var."

Tikaani sanki suyun ayaklarının etrafından dolaşmasını bekliyormuşçasına, hızla ayaklarına baktı. Beck tekrar geriye baktı. O kadar uzağa ilerlemediklerini tahmin ediyordu. Yirmi, belki yirmi beş metre, daha fazla değil. Bundan sonrasında yumuşak kar yukarı eğimleniyordu ve zeminden siyah bir kaya yükseliyordu. Burası sağlam bir zemin olmalıydı.

"Çevrende dön" dedi, "ve kendi ayak izlerine basarak geriye doğru yürü..."

Daha önce geçmiş oldukları buz, ağırlıklarını taşımaya yetecek kadar dayanıklıydı. Geri döndüler ve yarım dakika sonra güvenle kuru karaya ayak bastılar.

Beck önlerinde duran yumuşak alanı daha büyük bir dikkatle inceledi. Sadece bir aptal çevrede daha güvenli bir yol varken donmuş buzun üzerinden yürürdü. Göl, yaklaşık yetmiş metre boyunca uzanan tamamen düz kardan bir alandı. Sonrasında zemin tekrar yukarı doğru eğime başlıyordu.

Bir yandan diğer yana doğru baktı. Kayalıklar ve sollarındaki dik yamaç tarafından hapsedilmişlerdi. Göl önlerindeki tek yoldu, fakat atacakları yanlış bir adım ile dondurucu suya batabilirlerdi. Eğer bu gerçekleşecek olursa, rüzgâr ısılarını çok daha hızlı düşürecekti, sonrasında gündüzü izleyen gece misali hipotermi takip ederdi.

"Başka bir seçeneğimiz yok," dedi gönülsüzce. "Bu yoldan gitmek zorundayız..."

Beck gölün kenarına doğru dikkatlice ilerledi ve karları sopasıyla bir kenara itti. Altındaki buz gri ve sertti.

"Sorun şu ki," dedi ve devam etti, "karın altındaki buz asla bu kadar kalın olmayacak. Kar yalıtım sağlayarak daha derin kısımların donmasını engelliyor."

"Öyleyse dümdüz gidiyoruz," dedi Tikaani. "En kısa mesafe, en az süre."

"Hayır, en ince buz bu tarafta" diye ekledi Beck. Gri buza birkaç kez vurdu. Sağlam görünüyordu, ancak onların ağırlıklarını güvenle taşıyabilmesi için en azından beş santimetre kalınlığında olması gerekiyordu. Maalesef bunu anlamanın bir yolu yoktu. "Göl, kenarlardan içe doğru donmaya başlar dolayısıyla kenarlardaki buz en eskisi ve en kalını olandır. Kıyının çevresinden dolaşmak zorundayız."

"Yemeklerin nasıl test edileceği hakkında konuşabilirsin ama" Tikaani kesin bir ifadeyle konuşuyordu.

"Bırak da buz hakkında ben konuşayım. Bak şimdi." Gölün kıyısını işaret etti. Bu Beck'in geçmeye niyetlendiği güzergâhtı. Suya düşen gevşek kayaların oluşturduğu bir karmaşa vardı. "Kayalar buzların dışına doğru dikiliyorlarsa bunun anlamı buzun çok daha ince olduğudur."

Beck dudaklarını ısırdı. Tikaani'nin kastettiği şeyi anlayabiliyordu. Ne yazık ki, gölün ortasındaki buzun kâğıt inceliğinde olabileceğini de biliyordu.

"Öyleyse arayı bulalım," dedi.

Çocuklar kıyı çevresinde ve gölün üstünde gidecekleri yolları dikkatlice seçiyorlardı. Güvenli gözüküyorsa olabildiğince kıyıya yakın, fakat birbirlerine de çok yakın olmadan. Toplam ağırlıklarının tek bir noktaya basınç uygulamasını istemiyorlardı. Tikaani haklıydı, kayalıkların çevresindeki buz inceydi. Beck buzun ayağının altında esnediğini hissedebiliyordu. Yarı yolda büyük bir kaya kenardan dışarı çıkıntı yapmıştı; uzak durmak için neredeyse gölün ortasına kadar gitmek zorunda kaldılar. Beck, attığı her adımda altındaki buzun gıcırtısını hissediyordu.

Her an silah sesine benzer bir sesle beraber buzun kırılmasını ve ayağının dibe doğru çekmesini bekliyordu.

Hâlâ vücut ağırlıklarını dağıtan kar ayakkabılarını giyiyorlardı, fakat buna rağmen gölün onlara sinirlendiğini hissediyordu Beck. Onların bu dağların yabancısı olduklarını biliyordu; onları burada istemiyordu.

Ama uzak kıyı, kayalar ve artan eğim sağlam bir zemini işaret ediyordu; gittikçe yaklaşıyordu. Beck kendini öne doğru atmadı. Kıyıdan sadece birkaç metre uzakta olmasına rağmen, ilerlemeden önce buzu kontrol etmek için karı kazıyarak temizledi. Ayağı kıyıdaki ince buzdan içeriye girse bile, buzun çizmesinin içine sızması ayak parmaklarının soğuk ısırığına uğramasıyla sonuçlanabilirdi.

Fakat sonunda sağlam zeminde ayakta duruyordu. Tikaani'ye doğru döndü ve zaferle gözü parladı. "Başardık!"

Tikaani geri gülümsedi ve ona doğru bir adım attı.

Aniden kayanın yüzeyinden bir çatlama sesi yankılandı ve su sıçradı. Tikaani gizli bir kapıdan geçmiş gibi gözden kayboldu.

"Tikaani!" Beck bağırdı. Yardım etmek için ileriye doğru bir adım attı ve durumunu kontrol etti. Aniden olan biteni anlamıştı. Sağlam bir zemin üstünde duruyordu – fakat bir parçası kopmuş göle doğru uzanan burnun üstünde hapsolmuştu. Göl onu geçerek devam ediyordu ve Tikaani bu parçanın üstünde ayakta duruyordu.

Çocuk düştüğü sırada kollarını yukarı doğru uzatmıştı böylece kafası ve omuzlarını korumayı başarmıştı. Ancak buzun içindeki siyah deliğin içi ve dışı suyla çalkalanmış ve onu baştan aşağı sırılsıklam etmişti. Çocuk ağzını açtı ve çığlık attı.

"Ç-ç-ok so-ğ-u-u-k!"

"Tikaani! Sırt çantanı çıkar! Çabuk! Ve etrafında dön..."

Beck kar ayakkabılarını çıkartıp fırlattı ve gözünün kestiği kadar yakına ilerledi.

Tüm içgüdüleri ona gidip arkadaşını dışarı çekmesini söylüyordu, ama eğer o da buzun üstüne düşerse, her ikisi de orada mahsur kalırdı.

"Tikaani!"

Tikaani kıpırdamadı. Tıpkı çığlık atıyormuş gibi ağzı hâlâ sonuna kadar açıktı. Eğer çığlık atıyorsa bile ses Beck'in duyamayacağı bir ses aralığına kadar çıkmış olmalıydı. Şimdi ise altındaki su durulmuştu. Tikaani'nin gölün tabanında durduğu apaçıktı.

"Tikaani!" Beck tekrar bağırdı.

Tikaani, Beck'e şaşkınca baktı, acı içinde kesik kesik nefes alıp veriyordu.

"Tikaani. Sırt çantandan kurtul ve arkana dön. Arkandaki buzun kalın olduğunu biliyorsun. Dışarı tırmanmana yardımcı olacak..."

Tikaani'nin nefes alışverişi gittikçe hızlanıyordu. Beck, onun içten içe neler yaşadığını zihninde canlandırabiliyordu. Birçok vakada, dondurucu suyun yarattığı şokun refleksi, insanların akciğerlerine su solumalarını neden olurdu.

En azından Tikaani henüz bunu yapmamıştı. Ancak hipotermi birkaç dakika içinde başlayabilirdi.

Soğuğun hepten tüketici ve insanı bezdiren bir etkisi vardı. Vücut hissetme duyusunu yitirirdi; Tikaani'nin tüm yön algısı ve kuvveti gölün dibinde donacaktı. Hatta acele etmezse kalbinin durma riski vardı. Şokun etkisiyle oluşan bir kalp krizi...

"Arkana dön." Beck yüksek sesle tekrarladı. Tikaani hareketlerini koordine etmek için odaklanma yeteneğini kaybediyor olmalıydı. Kesin olarak üstesinden gelmek zorundaydı. "Arkaya dön!"

Tikaani dönmeye başladı. Parmaklarıyla beceriksizce sırt çantasının tokasını yokladı ve çantası geriye düştü, suyun içinde batıp çıkıyordu. Beck, sırt çantası tamamen batmadan önce hızlıca sopasıyla yakaladı. "Güzel, güzel. Şimdi, bana kar ayakkabılarını yolla."

Tikaani, kar ayakkabılarını bir yolunu bularak ayaklarından çekip çıkardı ve onları Beck'e doğru fırlattı.

"İşte bu kadar! Şimdi dışarı tırman, hadi, tırman dedim!" Beck yol gösterdi.

Tikaani dirseklerini buzun üstünde tutmayı başardı ve ilerlemeye devam etti. Az sonra vücudunun üst kısmı sudan kurtuldu, sonrasında beli ve uylukları sudan çıktı. Acı içinde öne doğru sürünerek ilerledi ta ki en sonunda gölden tamamen çıkana kadar. Daha şimdiden sırılsıklam olmuş, pantolonu soğuktan buz tutmuş gözüküyordu.

"Buradan!" diye seslendi Beck. "Buranın üstünden! Çabuk!"

Tikaani Beck'in bulunduğu buruna doğru ağır ağır sürünerek ilerledi. Beck uzandı ve onu güvenli zeminin üstüne doğru çekti. Tikaani'nin yüzü acı içinde buruşuyordu. Kolları iki yanına yapışıktı ve Şimdiden vücudu aşırı kas kasılmaları içinde titreyerek şok geçirmeye başlamıştı.

"So-o-ğ-uk!" diye inledi.

"Tamam... Artık güvendesin... Hadi ama..." Beck arkadaşını kavradı ve buzdan uzağa tökezleyerek giderlerken ona destek oldu.

"Soğuk!"

"Evet, biliyorum. Hadi ama, seni ısıtacağız..."

KURT YOLU

Beck dudaklarını ısırdı ve çevresindeki işe yaramaz karlı alana baktı. Onu ısıtmak mı? Nasıl?

Ancak bunu yapmak zorundaydı, çünkü eğer yapmaz ise birkaç dakika içinde Tikaani ölmüş olabilirdi.

BÖLÜM 8

"Tikaani, soyun!"

Tikaani'nin bütün bedeni kasılarak titreme geçirdi ve acı ile yüzü buruştu. Ancak gözleri şaşkınlıkla çevreye baktı.

"Yap hadi!" Beck parladı.

"Şeey..." Tikaani fısıldadı. Parmakları, uyuşukluğun verdiği beceriksizlik ile düğmelerinin üstünde titriyordu. "B-b-bunun... b-bir ç-çeşit yaz-z tatili... o-olduğunu bilmiyordum..."

Tikaani şortunu çıkartırken Beck, "Bütün kıyafetlerini," dedi.

Tikaani gönülsüzce denileni yaptı. "Tamam," dedi. Diken diken olmuş derisi tıpkı bir zımpara kâğıdı gibi pürüzlüydü. "Ş-şimdi N-ne?"

Zaten Beck çoktan çantasından çıkarttığı kuru bir tişört ile onu ovalamaya başlamıştı.

Tişörtü Tikaani'nin ellerine sıkıştırdı. "Kendin yapmalısın," diye talimat verdi. "Hareket etmek zorundasın ve kendini olabildiğince kuru tutmalısın. Sonra da seni ısıtacağız."

KURT YOLU

Isıtmak! Tekrar düşündü. Hipotermi hayaleti her ikisinin üstünde dolaşıyordu, saldırmaya hazır; dondurmaya hazır, kanlarını buza çevirmeye, onları kardan bir çöp yapmaya hazırdı. Hayatta kalabilmek için, vücut yavaş yavaş kendini kapatır ve hayati organlarını sıcak ve canlı tutabilmeye odaklanır. Dıştan bir ısı kaynağı bulmak tek tedavi yöntemiydi.

Beck sırt çantasını kaptı. Tikaani'de kuru hiçbir şey kalmamış olmalıydı ve içini karıştırmaya başladı. Bir damla ter alnından aşağıya düştü ve derhâl kendini yavaş hareket etmek için zorladı.

Şimdiye kadar yapmış olduğu en önemli şeydi bu. Ölüme bu kadar yakın bir arkadaşı daha önce hiç olmamıştı ve yavaşlamak zorundaydı. Eğer terlemeye başladıysa, sonrasında bu nemli ter mutlaka donacaktır ve hipotermi aniden saldırabilirdi, ikisi birlikte ölebilirlerdi.

Tamam, iyi. Tikaani'nin giyebileceği kuru kıyafetler vardı. Botları hâlâ su içindeydi ancak bunun için yapılabilecek bir şey yoktu. Tikaani tekrar kuruyabilecekti. Cildinin üstünde bir sıcak hava katmanı oluşması çok önemliydi. Vücudu, kendi ısısını koruyabilecekti böylelikle.

Her neyse, şimdiki şartlara göre hâlâ iliklerine kadar donmuş hâldeydi.

"Tamam" dedi Beck. Bir kayanın üstündeki karı temizledi ve elbiseleri tepesine yığdı. "Bunları giyin."

Şimdi en büyük zorlukla karşı karşıyaydı. Dümdüz bir şekilde ayakta dikildi ve ellerin belinde çevresine baktı. Ateş yakmak zorundaydı.

Kıyafetler tek başına, dondurucu suya batmış biri için yeterli olmazdı. Tikaani'nin dışardan bir ısı kaynağına ihtiyacı vardı. Ateşe ihtiyaçları vardı.

Ateş mi? Bu yükseklikte?

Beck'in bakışları karın ve buzun üzerinde gezindi. En yakın ağaçlık alan, yokuş aşağıbirkaç saatlik mesafedeydi. Ne yapacaktı? Kayaları mı yakacaktı?

Aklı, isteksizce sırt çantasının içindekilere gitti. Tamamdır. Kıyafetlerinin geri kalanı yanardı. Uçağın yakınlarındayken geri dönüştürdükleri iğreti halat yanardı. Ancak yeterince uzun süre yanamazlardı veya her neyse, kısacası bunu yapmak istemiyordu.

"Hey, Tikaani. Dağlar, bu yükseklikte bütün yıl boyunca mı karla kaplıdır?"

Tikaani pantolonunu giyerken ona doğru kaşlarını kaldırdı. "Evet. Hayır. Aslında tepeler öyle ancak az daha aşağıdaki kısımlar yazın temiz oluyor. Neden?"

Beck şiddetli titremenin azalmış olduğunu görünce sevindi. Arkadaşının vücudu soğuktan hâlâ biraz ürperiyordu.

"Çünkü eğer bu alan yaz boyunca temizse, belki bir şeyler olabilir..."

Çevreye tekrar bakındı. Eğer burada, karın altında, herhangi bir bitki büyümüşse korunaklı bir yerleri olabilirdi. Bir kayalığın yanına çömeldi ve elleri ile karın içine oyuk açtı.

Evet! Beck'in parmakları sert ve dairesel bir şeyin çevresinde kapandı. Karı üstünden süpürdü. Koyu renkli, eğri büğrü bir odun: yazın olacak erimeyi bekleyen bir çeşit çalı çırpı. Parmaklarını çevresine sardı ve topraktan yukarıya doğru burarak çekti. Daha sonra daha fazla bulmak için çevresindeki karları eşeledi. Bir dalı zorladı ve dal, çok tatmin edici bir çatırdama ile kırıldı. Erimekte olan kar taneleri ile ellerinin içinde ışıldadı. Kışı karın altında geçirmişti, ancak iç tarafı kuruydu.

Beck daha kolay yanabilmesi için kabuğunu bıçağı ile soydu ve içindeki kuru odunu ortaya çıkardı. Ateşi tutuşturmak için uçağın ilk yardım çantasından aldığı pamuğu kullandı. Kayalığın, rüzgârdan korunaklı tarafındaki, zeminde bulunan karların çoğunu tekmeleyerek uzaklaştırdı ve ilk kıvılcımı yakmak için çakmağını kullandı. Baştan aşağı giyinmiş Tikaani de yanına çömeldi.

"Asla olmaz," diye emir verdi Beck. "Bu ateş sönene kadar, yürüyeceksin."

Tikaani ona doğru baktı. "Ben ne? Nereye?"

"Yürü. Eğer zorunda kalırsan, çevrende dönerek daireler çiz. Vücudunun kendi ısısını oluşturmasını sağla. İçine işledi soğuk, bununla ilgilenmeliyiz. Hadi kalk! Yürü dedim! Ayrıca her adımda dizlerini yukarıya kaldır."

Tikaani ona nefrete benzeyen bir ifadeyle dik dik baktı. Beck pamuk ve Bowie bıçağı yardımıyla kendi yaptığı halattan birkaç farklı uzunluklarda kıyafet parçasını kullanarak ateşi tutuşturmayı başardığı esnada Tikaani yavaşça ateşin çevresinde daire çizerek ve kendini ovalayarak yürümeye başladı.

"Ayrıca kollarını o şekilde ovma," dedi, dalgın dalgın. Tüm dikkati hâlâ ateşin üstündeydi. "Bu, kanı vücut merkezinden uzaklaştırır ve vücut ısını düşürür. Bunun yerine kollarını çevresinde hızlıca salla. Böylece kan, ellerine gitmek zorunda kalır ve ısınırsın. İşe yarar, söz veriyorum."

Tikaani durdu, ona doğru bir bakış attı. Tekrar yürümeye başladı ve yürürken kollarını çevresinde döndürdü.

Çocuk güçlükle yürürken, Beck, "Bir keresinde Ernest Shackleton adında bir adam vardı," dedi. "Birinci Dünya Savaşı'ndan önce Güney Kutbu'na yapılacak bir sefere çıktı."

Diz çöktü ve hafifçe ateşe üfledi.

Ufacık bir alev, halat boyunca yayılıyordu. İlerledikçe, büyüyordu. Beck hikayesini bitirdi:

"Ekibinden biri suyun içine düştü. Bir buz kütlesi üzerindeydiler, yakacak hiçbir şeyleri yoktu. Sadece yürüyerek buz kütlesinin üzerinde on iki saat boyunca dolaşmak zorunda kaldı. Sadece yürüdü, yürüdü, yürüdü ve yürüdü, en sonunda kuruyana kadar. On iki saat! Fakat bu onu canlı tuttu. Kimse ölmedi. Hepsi tekrar eve döndüler."

Ateş tutuşmuştu. Alev, sanki eğlenceye katılması için utangaç bir şekilde oduna dokunuyordu. Odun ise ne yapacağını tam olarak bilmiyordu. Yaz aylarında dünyaya tekrar gelmeden önce karın altında birkaç hafta daha bekliyor olacaktı. Fakat kendini ikna etmesine izin verdi. Çalı çırpı kabukları tutuşarak, eğlenceye katılmaya başladılar. Bir duman demeti, dağ havasına karıştı.

Beck kesinlikle emin olana kadar üflemeye devam etti. Bu, şans eseri olmadı; birkaç dakika içinde öylece sönecek gibi değildi.

Sonra poposunun üstüne oturdu ve rahatlama ile iç çekti.

Biraz daha odun aramak için ayağa kalktığı sırada, "Tamam, gel ve otur Tikaani," dedi. Hiç vakit kaybetmeden Tikaani ateşin diğer tarafına gelmişti. Çömeldi ve sıcaklığı iyice almak için ellerini ateşe doğru tuttu. Hırçın bir şenlik ateşi gibi olmasa da dengeyi sağlamalarına yetti. Tikaani yaşayacaktı.

Beck katıksız bir rahatlama duygusu içinde sırıttı. Tikaani gülümseyerek karşılık verdi.

"Ayağını da uzat," diye önerdi Beck. "Her iki taraftan da ısınabilirsin..."

Kayalıkların çevresinde biriken karların altında kullandıkları yakacaklardan daha vardı. Beck bulabildiklerini bir araya topladı. Daha sonra, Tikaani ısınırken, Beck onun botlarının içine kesilmiş kıyafetlerden yerleştirdi. Buz ve kar içinde yürüyeceklerdi; nemli botlar sıcak havayı Tikaani'nin ayaklarından doğruca dışarıya emerek soğuk ısırığına davetiye çıkarabilirdi. Beck, sıcak havanın kurutmasını sağlayacak şekilde ateşin üstünde baş aşağıya tuttu.

"Sanırım bunu yapabilirim," dedi Tikaani. Botları Beck'den aldı ve onları kuruması için ters tuttu. Sesi tam olarak normale dönmüştü. Diş gıcırdaması yok, titreme krizleri yok. "Suya düşmenin yanı sıra başka yeteneklere de sahibim."

"Tabi ki öylesindir," Beck bir gülümsemeyle onayladı. "Bu dünya klasmanında bir tutuş!"

Tikaani mahçup görünüyordu. "Bizi geciktirdim, değil mi? Demek istediğim, devam etmek isterdin, gün batımından önceye tepeyi aşmak için."

"Hey, hâlâ yapabiliriz." Beck zirveye bir göz attı. "Tamam, birkaç saat kaybımız var, ancak gün ışığı geç saate kadar kalıyor. Bu yüzden biraz daha fazla yürüyor yürüyeceğiz, hepsi bu."

"Peki, ama özür dilerim."

"Takma kafana." Beck dudaklarını ısırdı. "Bu benim başıma da gelebilirdi." Sonra hatayı Tikaani'yle yarı yarıya bölüştü: "Gölün burada bitmediğini fark etmeliydim. Daha fazla dikkat etmem gerekiyor."

Ayağa kalktı, daha çok bunun yapmasının sebebi konuşmayı sonlandırmak içindi. Bu konu üzerinde çok düşünmek istemedi ancak bununla yüzleşmek zorundaydı. Küçük bir hata olmuştu, ama herhangi bir hatayı kaldırmayacak bir bölgedeydiler. Beck, o an kesin kararını verdi. Başka bir hata yapamazdı.

Hâlâ kuru kalmış bir şeyler olup olmadığına bakmak için Tikaani'nin sırılsıklam sırt çantasının içindekileri karıştırdı.

Boş bir umuttu. Islak halat sorun değildi; ıslak kıyafetler ise gayet büyük bir sorundu.

Sonrasında Tikaani'nin giydiği sırılsıklam olmuş kıyafler vardı. Su ceketi kolayca ele geçirmişti, ama en azından hâlâ bir ceket vardı. Ancak bu yün ceket ile başarabilirlerdi çünkü kuru olan bir yedeği yoktu.

Beck, kabanı mümkün olduğunca suyu süzülene kadar kıvırarak sıktı. Sonra diğer eşyalarla birlikte bir kayalığın üstüne serdi ve ateşe geri döndü.

"Burada kuruyabilir mi yoksa sadece donar mı emin değilim." dedi Tikaani.

Beck sırıttı. "Amaç bu!"

Tikaani'nin mümkün olduğunca ısındığından emin olmak için bir saat kadar bekledi. Sonra ayağa kalktı ve kabanı kayanın üstünden kaldırdı. Donmuş katı bir buz tabakasıydı.

Beck kabanı katladı, üstündeki buzlar çatırdadı ve ellerinin içinde kırıldı sonrasında kayaya doğru hızlıca çarptı. Buz parçaları her yerde uçuştuğu için gözlerini kapadı. Bunu birkaç kez tekrarladı. Sonra kabanı Tikaani'nin göreceği şekilde salladı.

"Neredeyse tamamen kurumuş!" diye bağırdı Tikaani. Kontrol etmek için parmaklarını üstüne uzattı. "Bu harika."

Beck küçük bir sırıtmayla karşılık verdi. Bir anlığına arkadaşı ona TV reklamlarında yeni bir temizlik ürünü tanıtan bir ev kadınını hatırlattı.

"Yeni Geliştirilmiş Kuru Kıyafetler, Tescilli Marka," dedi ve söylerken tıpkı bir TV sunucusunun pürüzsüz ve samimiyetsiz ses tonunu takındı.

"Şimdi Artık Ekstra Kurulukla!" Tikaani ekledi. "Yani... Donmuştu değil mi?"

"Aynen," diye katıldı Beck, "ve bütün su bir kere donduğu zaman, sadece sertçe vuracaksın. Buzlar kırılıp temizlenecektir."

Çıkartmış olduğu diğer kıyafetleri topladı. Buzluydu fakat henüz tamamen kurumamışlardı. "Pekâlâ. Gece için barınak yaptığımız zaman bunları dışarıya asarız. Sabaha kadar tamamen donarak kuruyacaklardır. Nasıl hissediyorsun?"

Tikaani sırıttı, ayağa kalktı ve esneme hareketleri yaptı. "Daha iyi olmamıştım!"

"O zaman botlarını al da yola koyulalım. Ah, bir de su şişeni verir misin? En azından buradayken dolduralım..."

Yürümeye başladıkları sırada yer yavaşça yükseldi. Dağın yamacında geride bıraktıkları gölden şu ana kadar inişli çıkışlı ve düz alanlardan geçmişlerdi. Şimdi ise hiç şüphe yoktu ki yukarıya, sadece yukarıya doğru yürüyorlardı. Attıkları her adım, onları bir parça yukarı çıkarmak için yerçekimiyle savaşıyor ve onları yukarı taşıyordu. Bacakları ve uylukları bunun farkındaydı ve hissediyorlardı. Hâlâ beyinden aldıkları emirlere uymaya devam ediyorlardı ancak bu durum tamamen vücutlarının sahip olduğu enerji rezervlerine bağlıydı.

Aralarında muhabbet edecek konu kalmamıştı. İnce atmosferi soluyarak sadece yürüdüler.

Artık çıplak kayalar yoktu ve yakacak bitkiler, yemek için ölü veya canlı hiçbir şey yoktu. Sadece kardan oluşan pürüzsüz bir yamaç... Beck uzun zikzaklar yaparak ve ayaklarındaki kar ayakkabılarına minnettar hâlde yola liderlik etti.

Onlar olmadan çocuklar her adımda uyluklarına kadar karın içine saplanırdı ve tırmanmak imkânsız olurdu.

Ancak bunun bile bir sonu vardı. Yukarılarında, zeminin her iki taraftan yükseldiği bir vadi vardı. Yamaçların ortasında yürümek zorundaydılar. Zemin, grinin ve beyazın hemen hemen yüz değişik tonu ile karmakarışıktı ve pürüzlüydü. Aslında Beck buranın sadece toprak zeminden ibaret olmadığını biliyordu. Dağlardan aşağıya doğru çok, ama çok yavaş dökülen buzlu suyun oluşturduğu donmuş bir nehirdi.

"İşler biraz zorlaşacak şimdi." dedi. "Bu bir buzul."

Haritanın üzerinde işaretlendiği için karşılarına çıkmasını bekliyordu. Hiç olmazsa bunun anlamı hâlâ rotalarından sapmamışlardı ve hâlâ dağların arasındaki geçide doğru ilerlemeye devam ediyorlardı. Fakat bu hâlâ bir ıstıraptı. Geçide ulaşmalarının tek yolu önlerindeki vadiydi, yani önlerindeki donmuş nehirdi.

Bunca olaydan sonra devam ettiler ve tekrar kuru veya en azından karlı kara parçasının üstünde durabildiler.

Tikaani kafasını uzattı ve buzulun izlediği yolu takip etti.

"Bunun üstünden mi geçeceğiz?" diye sordu.

"Ben de istemem ama..."

Beck GPS'i cebinden çıkarttı. Pilleri taktı ve aleti çalıştırdı. Gözlerini kısarak ekrana baktı. Haritaya göre dağ, neredeyse dik bir yamaçla yükseliyordu. Yüz metre yüksekliğinde bir kaya perdesi.

Beck yukarıya doğru, tepeye baktığında kendisi de görebiliyordu bunu. Kayadan perde, donmuş çatlak ve kıvrımlı yüzeyiyle engebeliydi. Haritaya göre geçit, bunlardan birinin bitiminde olmalıydı. Ekranda sıkıca kümelenmiş iki yükseklik çizgisinin arasında temiz bir bölge vardı.

"...ama zorundayız." Beck iç çekti. Bin metreden daha fazla yükseklikteki zirveye bakabilmek için başını geriye doğru yasladı.

Muazzam jeolojik kuvvetler, milyonlarca yıl boyunca bu dağları yeryüzünün dışına doğru itmişti. Bir yandan da aynı kuvvetler dağların kendi ağırlıklarından dolayı yavaşça yere çekiyordu. Kayalardan oluşan dik duvarın üzerinde çatlaklar vardı ve işte bu, onlara yardım edecek olan şeydi. Bu çatlaklardan biri de ulaşmak istedikleri geçitti.

Beck'in bakışlarının takip etti ve içinden geçenleri dile getirdi Tikaani, "onu göremiyorum" dedi.

"Orada olacak" dedi. Beck eliyle havayı keserek karşıyı işaret etti. "Şu taraftan. Bak." Ekranı yakınlaştırdı. "Çizgilerin birbirine ne kadar yakın olduğunu görüyor musun?"

Tikaani parlayan görüntüye baktı. "Hı-hı?"

"Ekrandaki çizgiler ne kadar yakın olursa, gerçekte de o kadar dik olur."

"Yani..."

"Yani geçidimiz iki dik yamacın arasında bulunan çok dar bir yol. Endişelenme."

Onu bulacağız ama zaten bulmaya çok yakın bile olabiliriz.

Ekrandaki şarj seviyesi neredeyse yassıydı, bu yüzden Beck aceleyle aleti tekrar kapattı. Gidecekleri yolu gözüyle kestirebilirdi, şimdilik.

"Artık bundan sonra" Sırt çantasını çıkarttı içini açtı. "birbirimize halatla bağlanacağız."

İkisinin de sırt çantalarında el yapımı halat vardı. Beck iki ucu birbirine bağladı ve iyice sıktı. Düğüm tutmuştu.

"Kaçma ihtimalime mi karşı?" diye sordu Tikaani.

"İyi haber: Bu buz, gölde olduğu gibi ayağının altında kırılmayacaktır. Kötü haber: İçinde çatlaklar olabilir. Binlerce ton ağırlığında çekiyor ve devasa bir gerilim var. Bu yüzden az önce bahsettiğim yarıkların oluşmasına neden olurlar. Bu çatlakları fark etmesi zor olabilir. Yüzeyi eğimli ve koyu renkte olan karlı bölgelere dikkat etmelisin. Eğer onlardan birine düşersen, ki oldukça derindir, hiç dışarı çıkamayabilirsin."

Tikaani "Peki eğer sen düşersen," dedi, Tikaani. Düşünceli bir şekilde halatı göstererek, "seni yakalayıp yukarıya çekmek bana mı kalıyor?"

"Evet, eğer yapabilirsen..." Beck'in sesi küçük bir iyilik istiyormuş gibi çıktı. "Sanırım aynısını senin için ben de yapacağım."

Buza adım atmadan önce sağlam toprakta biraz daha gittiler. Buzul yaklaşmakta oldukları noktadan kıvrılıyordu. Beck dıştaki eğrinin genellikle yarıkların bulunduğu yer olduğunu biliyordu. Bu bölgeler buzun üzerindeki gerilimin maksimum olduğu yerlerdi.

"Birkaç metre arkamda dur." diye talimat verdi Beck. "Halatın yerde sürüklenmesine izin verme. Ayak izlerime basarak yürü ve attığın her adımda" Sopasını önündeki buza sertçe sapladı, "önce kontrol et."

"Üstünden sen yürümüş olsan dahi mi?" diye sordu Tikaani.

"Olsam dahi. Biliyorsun, buzu zayıflatmış olabilirim böylece sen üstündeyken çökebilir!"

Tikaani omuzlarını silkti, "Eminim öyledir," dedi. "Dostlar başka ne içindir ki?"

İlk önce yavaş yavaş daha sonra da artan bir güvenle buzun üstünde hareket ettiler. Neyse ki zemin hâlâ ayakları altında kütürdeyerek sıkışan bir kar tozu katmanıyla kaplıydı.

Yılın ilerleyen zamanlarında, bütün kar gitmiş olsaydı çıplak buzun üzerinde sürünerek ve kayarak ilerliyor olacaklardı.

Beck tekrar yokuş yukarı çıkmadan önce buzulun ortasına doğru yöneldi. Çatlaklar, genellikle buzulun köşelerinde, dağın sert taşlarına karşı yorgun düşmüş yerlerinde olurdu. Ortasında çok daha yavaş bir akıntı olmalıydı.

İlk çatlak yaklaşık yirmi dakika sonra önlerine çıktı, birkaç yüz metre önlerindeydi. Aldıkları bütün önlemlerden sonra onlardan gizlenememişti ve ikisini de aniden habersizce yutamamıştı.

Ancak yine de tehlikeliydi. Bir uçtan bir uca vadi boyunca gerilmişti. Buzulun içinde yaklaşık otuz metre derinliğinde, üç metre genişliğinde oluşmuş bir yarık vardı. Bazen üstte sadece bir karış buz olurdu; çoğunlukla öylece gökyüzüne açık olurlardı. Beck tam bu noktada vadi zemininin buzu yukarıya doğru ittiğini tahmin etti. Buzun üstünde açıklık yaratan bir stres bindirmişti.

Tikaani düşünceli bir şekilde, "Biliyor musun," dedi. "Bahse varım buradan atlayabilirim. Önce sırt çantalarımızı atacağız, sonra kar ayakkabılarını çıkartıp hızlıca koşacağız..."

Beck kafasını salladı. "Kenarların ne kadar sağlam olduğunu bilmiyorsun. Uzak kenar altından aniden çökebilir. Buzdan bir köprüye ihtiyacımız var."

Tikaani ona baktı. "O zaman bahse varım eski bir Anak yöntemiyle bunlardan birini yapmayı biliyorsun?"

Beck gülümsedi ve tekrar kafasını salladı.

"Doğada mevcutlar, biz sadece kullanıyoruz. Bu taraftan."

Yarığın kenarından en yakın köprüye doğru yavaşça yürüdüler. Yarığın bir tarafından diğerine, yaklaşık bir metre genişliğinde ve üç metre uzunluğundaydı. Ortası sarkıyordu ki bu da Beck'e hiç güven vermiyordu.

Sopasıyla dürttü. Hemen bölündü ve yarığın içine düştü.

"Bu değilmiş" dedi. Buz parçaları aşağıya düşerken sağa sola çarparak milyonlarca küçük parçaya ayrıldı.

Birkaç tane daha köprüyü denediler. Hepsi aşağıya parçalanmamıştı fakat...

Bazıları çok dardı. Bazılarının da Beck sadece görünüşünü beğenmedi. İyi bir kalınlıkta- en azından birkaç santimetre sarkmamış bir buz istiyordu. Köşelerinin ortasından daha kalın olduğu yay şeklinde bir kemer arıyordu. Bu sayede, köprü kendine daha fazla dayanma gücü katmış olacaktı.

Hiçbiri tam olarak mükemmel değildi ama Al Amca'yı kurtarmak ve bir an önce bu dağı aşmak için zaman daralıyordu.

"Önden buyrun," dedi kibarca Tikaani, gözlerini en iyi aday olan köprüden ayırmadan. Diğerlerinden daha kalındı ve Beck dürttüğü zaman yerinden oynamamıştı.

"Peki," diye onayladı Beck.

Tikaani derinliğe doğru bir bakış attı. "Eğer düşersen, seni tutabileceğimden cidden emin değilim..."

"Ben de," Tikaani'nin bariz şaşkınlığına karşılık Beck yine onayladı. "Hadi çantanı çıkar..."

Buzulun üstündeki kar tabakası yaklaşık yüz santimetre derinliğe sahipti. Çocuklar bir delik açtılar ve Tikaani'nin sırt çantasını gömdüler. Şimdi halat bir yığın karın altında sıkışmıştı ve bir ucu da Beck'in beline bağlıydı.

"Bu asla tutmayacaktır," Tikaani birkaç dakika içinde şüpheyle tekrarladı. "Bu kesinlikle tutmayacak!"

"Öyle mi sanıyorsun?" dedi sırıtarak. Kendisi de ilk gördüğü zaman inanmamıştı. Halatı Tikaani'ye uzattı. "Birkaç metre geri çekil ve ona asıl. Hadi git."

Kuşkuyla kaşlarını çatarak Tikaani halatı aldı ve çekti. Tekrar çekti. Gömülü sırt çantası tam olarak olduğu yerde kaldı. Beck'e doğru baktı, şaşkındı.

"Kar böyledir," dedi Beck. "Gevşek, narin, kolay ufalanır, ancak kuvvet uygularsan, sıkışıp katılaşır. Çantayı yukarıya çekebilirsin, fakat onu karda sürükleyemezsin."

Tikaani gömülü çantaya, halata ve çatlağa baktı. "Ben de hâlâ... tam olarak güvenemiyorum." diye itiraf etti Beck. "İşte bu yüzden ilk önce ben gidiyorum!" Beck ayakkabılarını çıkardı ve beline bağladığı halatla birlikte dört ayak üstünde köprünün üstüne doğru hareket etti. O ilerlerken bir yandan da Tikaani halatı parmaklarının arasında biraz daha gevşetiyordu. Eğer Beck ayakta duruyor olsaydı, bütün ağırlığı ayaklarında toplanmış olurdu. Dizlerinin üstüne çökerek kilosunu dörtte bir oranda dağıttı.

Elini köprüye ilk kez dokundurduktan sonra çok hafif duraksadı. Sonrasında altında bulunan yola bir şey oldu ve elleri birkaç santimetre yerinden oynadı. Beck donmuştu, köprünün çökmek üzere olduğundan emindi. Sonra birden fark etti, tıpkı karda yürüdükleri zamanda olduğu gibiydi. En üstteki katman donmuştu ve onun ağırlığıyla altındaki daha yumuşak kara geçmeden önce minicik bir direnç ortaya koyuyordu. Küçük bir kahkaha koyuvermek için kendini zorladı ve emeklemeye devam etti. Bu çok ince köprünün karşı tarafındaki çok ince esintiyi düşünmemeye çalışarak... Yol çok çabuk geçti, sonuçta bunca şeyden sonra yalnızca birkaç metre daha emeklemesi gerekiyordu.

Bütün bu uğraşın şuncacık mesafe için olması aptalca görünüyordu. Ta ki, alternatif olasılıkları hatırlayana kadar, yarığın en dibinde donmuş kırık kemikler arasında bir ölüm. Ayağa kalktı ve üstündeki karı temizledi. Sonra yüzünde kocaman bir gülümseme ile Tikaani'ye döndü.

"Sende sıra!"

Tikaani kar ayakkabılarını giydi ve yarığın kendi tarafında bulunan sırt çantasını kazarak çıkardı. Bu sırada Beck öbür tarafta kendininkinin çevresine halatı dolayarak gömdü. Tikaani ipin ucunu belinin çevresine bağladı. Sonra çantasının üstündeki karı temizledi ve sağlamca sırtına yerleşmesi için kollarını kayıştan geçirerek Beck'in olduğundan çok daha fazla özgüven ile köprünün üstüne emekledi.

"Eyvah!" Tikaani çatlağın kenarının az ötesinde bir anda durdu. "Hareket eden bir şey hissettim"

KURT YOLU

"Sadece sabit şekilde ilerlemeye devam et." diye seslendi Beck.

Tikaani endişeli bir şekilde ona doğru baktı. "Bu galiba…"

Aniden köprü aşağıya çöktü ve Tikaani gözden kayboldu.

BÖLÜM 9

"Tikaani!" Beck bağırdı. Arkadaşı kısa bir şaşkınlık çığlığı atmıştı. Ancak, uğursuz bir gürültü tarafından kesildi. Halat ve gömülü sırt çantası onun ağırlığını taşıyordu. Halat gergindi ve bu yüzden yarığın kenarındaki karlarda kesiliyordu. Tikaani görüş alanının dışında kalıyordu. Halatın bir ucundan aşağıya doğru sarkıyordu.

"Tikaani!" Beck tekrar seslendi. "İyi misin?"

Kısa bir sessizlik oldu.

"Evet." Tikaani'nin sesi yarıktan yukarıya doğru çıktı. Sesi soluksuz kalmış gibi geliyordu. Düştüğünde yan tarafa vurmuş olmalıydı. Beck kafasında, arkadaşını orada asılı sallanırken canlandırdı. Her iki çocuk da özel bir emniyet kemeri takmıyordu.

Halat bellerinin çevresine bağlıydı. Bu yüzden ilmek yavaşça Tikaani'yi sıkıştırıyor olmalıydı, nefesini kesiyordu.

Beck aşağıya bir göz atmak için ilerleyebilmeyi diledi. Ancak yarığın kenarına güvenemezdi, ayrıca hiçbir şeyle bağlı da değildi.

"Tırmanabilir misin?"

"Hmm..." Halat titredi. Beck, Tikaani'nin botlarının, buzu tırmalama sesini işitebiliyordu. Sonra ip, ucuna bir ağırlık bağlamışsın gibi aniden aşağıya çekti.

"Hayır. Botlarım buzun üzerinde kayıyorlar."

Buzdan bir duvara tırmanmak için uygun ekipmanlara ihtiyacınız vardır. Kramponlar. Baltalar. Dayanak olacak keskin metaller. Beck yardımcı olacak herhangi bir şey için etrafına bakındı. Herhangi bir şey. Tek sahip oldukları şey daha fazla halattı...

Evet işte bu olmalıydı, diye düşündü. Tabii ki de halat. Bir ucu Tikaani'ye bağlı, orta kısmı gömülü çantanın çevresine sarılıydı ve diğer ucu ise çantanın hemen yanında karların üstünde sarmal bir şekilde boşta duruyordu.

"Tikaani? Daha fazla halatı aşağıya gönderiyorum. Dikkat et."

Beck ipin serbest ucunu yarığın içine doğru fırlattı. Uçarak havada süzüldü ve buzdaki yarığın ortasında gözden kayboldu. Biraz sonra:

"Ah! Yakaladım. Şimdi ne olacak?"

"İki elinle sıkıca tutarak kendine çek."

Tikaani'nin ağırlığının altındaki halat iyice sıkışlaştı.

"Şimdi bacaklarınla buzun yüzeyinden destek al ve..."

"Tamam. Teşekkürler. Sanırım gerisini yapabilirim."

Halatın iki uzantısı da tamamen gergin duruyordu. Bir uç Tikaani'ye bağlıydı ve diğeriyle de kendini yukarıya çekiyordu. Halatların uzantıları buzun kenarında yan yana duruyorlardı, yarığın tam kenarında ise birlikte gözden kayboluyorlardı. Tikaani'nin bağlı olduğu halat aniden gevşedi.

Bu Tikaani'nin tırmandığı anlamına geliyordu. Ağırlığı artık ipi gerilmesine sebep olmuyordu. Beck, kendisine gaddar bir gülümseme için izin verdi ve topuklarıyla karın içini kazarak oturdu. Halatın gevşek tarafından tuttu ve vücudunun etrafında doladı. Sonra tekrar gerginleşene kadar nazikçe çekti. Şimdi Beck'in kendisi bir bariyer, eğer Tikaani düşecek olursa onun ağırlığını çekecek herhangi bir şey görevindeydi. Arkadaşı yarığın içine geri düşebilirdi, fakat daha derine değil.

Tikaani yavaşça tırmanırken eşeleme ve dökülme sesleri duydu. Ardından halat çocuğun tüm ağırlığını vermesi üzerine Beck'in elinde sarsılarak gerildi. Tikaani'nin ağırlığı ile sertçe çekilen halatın uyguladığı güç yüzünden karın içinde birkaç santimetre ileriye doğru kaydı. Ancak sonrasında topuklarını kara geçirdi ve hareket etmesi durdu.

Tikaani'nin vücudunun yarığın yan tarafına çarpmasıyla tekrardan bir gümbürtü ve ardından daha önce hiç duymadığı bazı kızgın Anak kelimeleri işitti.

"Tamam" diye seslendi Beck. "Kaydın ama biraz daha yüksektesin." çünkü Beck, Tikaani tırmandıkça halatı toplamıştı. Tikaani şu an ilk baştakine göre biraz daha yüksekteydi. "Sadece devam et..."

Tikaani ağır ağır yukarıya doğru çıktı. İpin boş ucunu tutarak buzdan duvara karşı yaklaşık bir metre kadar yukarıya yürümüştü. Etrafına sarılı halat gevşedikçe Beck biraz daha çekiyordu. Tikaani'nin kar ayakkabıları kaçınılmaz bir şekilde buzun üstünde kaydı ama yeni yüksekliğini koruyarak buzdan düştü.

Yaklaşık on dakika sonra Tikaani'nin kafası yarığın dudaklarında gözüktü. Yüzü gösterdiği çaba ile buruşmuştu, ama Beck'e doğru bir zafer gülümsemesi ile dişlerini göstermeyi başardı. Arkadaşı kenara doğru yavaşça tırmanırken Beck ipin gerginliğini ayarladı.

Ancak Tikaani iyi ve gerçekten güvende olduğu zaman ipi bırakırdı.

Tikaani dizlerini kullanarak kendini yukarıya doğru çekti. "Lütfen," sesi boğuk çıktı, "sadece bu kahrolası buzuldan paçamızı kurtar."

Beck rahatlama ile güldü. "Kesinlikle. Efendim yalnız bu tarafa doğru adım atabilirseniz?.."

Çok değil, sadece bir diğer yüz metre sonra buzul, kuzeye doğru büküldü ve düz gitmeye devam ettiler. Buna rağmen birbirlerine yeniden halatla bağlandılar.

"Gittiğin yolun sadece bir metre olmasının hiçbir önemi yok." Beck kenara yaklaşırlarken konuşmaya başladı. "Bu çeşit bir buzulun üzerindeyken her zaman çok dikkatli olmalısın."

Nihayet buzuldan çıkıp ve dağın sırtına vardılar. Halatları çözdüler artık ve toplayıp çantalarına geri koydular. Birbirlerine baktılar ve rahat bir nefes aldılar.

"Neredeyse vardık," dedi Beck. Gözünü ileriye dikti. Kayalık duvar, bulundukları yerden hâlâ birkaç yüz metre daha yüksekteydi.

Ama yaklaşık sadece bir buçuk kilometre kadar bir mesafe kalmıştı. GPS'i tekrar çıkarttı. "Bu..."

Ekranın ışıltısı son nefesini vererek söndü.

"Of, hayır ya!" Beck karşı çıktı. "Hayır, hayır!"

Elindeki küçük aygıta vurdu ve ekran kısa bir süre parlayarak hayata döndü. Şarj seviyesi neredeyse tamamen dümdüzdü. GPS tamamen ölmeden önce kafasına görüntüyü kazımaya çalıştı. Beck artık kare şeklinde küçük bir plastiğe bakıyordu. Gelişmiş, yirmi birinci yüzyıl teknolojisinin sunduğu nimetlerinden biri olduğu hâlde artık ölü bir balık kadar kullanışlıydı.

Hatta belki o kadar kullanışlı bile değildi, ölü bir balığı en azından yiyebilirlerdi.

Tikaani, yüzünde düz bir ifadeyle, "Hey, dert değil," dedi. "Geride bir şarj aleti gördüğüme eminim. Galiba yarığın duvarında görmüştüm."

Beck gülümsedi. "Tamam, sonuçta bizi buraya kadar getirdi. Ayrıca hâlâ haritamız var." GPS'i cebine koydu ve sırtını Tikaani'ye döndü. "Çıkartabilir misin?"

Tikaani haritayı Beck'in sırt çantasından çekti ve birlikte haritayı açtılar. Sembollerle kaplıydı. Yükseklik çizgileri ve tabii ki kayalar, ağaçlar, buzullar için farklı hiyeroglifler... Beck'in hepsini tanımlayıp konumlarını belirlemesi biraz zaman aldı. GPS'e biraz fazla bağımlı olup olmadığını sorguladı.

Yürüyerek geçtikleri nehri bulmak kolay oldu. aldatıcı derecede ince, dalgalı, mavi bir çizgi şeklindeydi. Geçidin nerede olduğunu da hatırladı. Yükseklik çizgilerinin oluşturduğu kesişim noktasından geçen dönemeç şeklinde bir çizgi. Bulundukları konum bu ikisi arasında kalan bir yerde olmalıydı.

Nehirden batı yönüne doğru oldukça iyi yol almışlardı. Parmağıyla harita boyunca yolu takip etti.

Buzulu temsil eden koyu renkli çizgi kümesini bulduktan sonra ise artık tam olarak nerede olduklarını biliyordu.

"Öyleyse, buradayız..." Dağın tepelerine baktı. "Ve geçit burada." Geçidi bulacaklardı. Omuzlarını kararlı bir şekilde dikleştirdi. "Son kısım için hazır mısın?"

"Ve artık bütün yol yokuş aşağı mı olacak?"

Beck tekrar haritayı kontrol etti. Geçit, dağların arasında zirveyi gösteren bir işaret şeklindeydi.

"Bir kere yolu yarıladıktan sonra öyle olacağına bahse girerim!"

"Hadi, hadi oğlum!" Tikaani hislerini katarak söylemişti. "Önden buyur!"

İleride uçurumun tabanında iki kayalık burun çıkıntı yapmıştı. Yamaçtan aşağı doğru, biri güneyden diğeri kuzeyden farklı yönlerden iniyorlardı. Çocuklar bunları ortalamış yamaca doğru ilerliyorlardı. Yamaca kadar zikzak çizerek yürümeye sürdürdüler ama hedefleri her zaman görüş alanlarında oldu.

Dağ, taştan kollarını uzatmış sanki onları karşılamak için kucak açmıştı. Yamaç önlerinde karaltı olarak göründü. Beck, geçidin girişini gösterecek olan daha koyu renkli yarık için çabucak gözleriyle etrafı taradı.

"Gözükmüyor..." diye homurdandı Tikaani. Beck'in aklından geçeni söylemişti. "Tam olarak ne arıyoruz?"

Beck, harita üzerindeki geçidi hatırladı. Dağların bu tarafında geçit küçücüktü ve iki taraftaki ince yükseklik çizgileri, aralıksız bir doğru şeklinde göründüğü için yarığın duvarları birbirine çok yakın olmalıydı. Arkasında, çok daha geniş bir vadinin içine doğru genişliyordu.

"Bu tarafta; büyük olmamalı. Sadece bir çatlak gibi görünebilir..."

Yamacın biraz ilerisinde hemen sollarında, dağ yamacı hafifçe dışarı doğru şişkindi. Beck, geçidin bunun diğer tarafında olabileceğini düşündü.

"Bu taraftan," dedi ve rotalarını birazcık değiştirdiler.

Çıkıntının yanına geldiler... Dik bir yamaç dışında hiçbir şey yoktu.

Çocuklar, sanki büyülü bir şekilde açılacakmış gibi gözlerini bir süreliğine yamaca diktiler.

Bir süre sonra Tikaani, "Kapıyı mı çalsak?" dedi.

"Özür dilerim. Burada olduğunu düşündüm gerçekten," dedi Beck.

"Hey, buralarda bir yerde olması gerekiyor." Tikaani mantıklı olarak bunun üstüne dikkatleri çekti. Beck sesindeki hayal kırıklığını duyabiliyordu ancak arkadaşı oldukça haklıydı. "Aramak için farklı yönlere ayrılabiliriz."

"Evet..." Beck gerçekten ayrılmak istemiyordu ama bu onlara zaman kazandıracaktı. 'Fazla uzağa gitme. Yüz metre, en fazla. Her zaman birbirimizi görebildiğimizden emin olalım, tamam mı?"

"Tamamdır."

Tikaani güneye ilerledi, Beck, kayalık yüzeyi dikkatle tarayarak kuzeye doğru gitti.

Birden gözüne, birkaç metre yukarıda, yamaçtaki bir aralık takıldı. Kalbi fırlayacak gibi oldu. Doğru ya! Tabii ki! Kimse, geçit girişinin yer seviyesinde olması gerektiğini söylememişti.

Kar ayakkabılarını çıkardı ve çıplak kayaya tırmandı. Hedeflediği aralık en fazla üç metre genişliğindeydi ve ondan uzağa doğru kıvrılıyordu. Uzaktan onu görememiş olmaları hiç garip değildi. Kendi kurallarına uymaya özen göstererek, Tikaani'nin onu görebildiğinden emin olmalıydı ama en azından girişe doğru biraz ilerleyebilirdi. Zafer kazanmışçasına orada dikildi ve baktı.

Daha fazla kaya. Yarıktaki aralık, geriye doğru birkaç metre ilerledikten sonra kapanıyordu. Geçiş yoktu.

Beck yavaşça geri döndü ve aşağıya indi. Oturup kar ayakkabılarını bağladı.

Tikaani ağır adımlarla ona doğru yürüyordu.

"Bu tarafta hiçbir şey yok," diye rapor verdi. "En azından yüz metre boyunca."

'Tamam' Beck iç geçirdi. "Daha ileri gitmek zorunda kalacağız. Onu birlikte arayacağız."

"Hangi taraftan?" diye sordu Tikaani.

Beck aklından yazı tura oynadı. "Güney." dedi ve böylece Tikaani'nin gelmiş olduğu yöne doğru geri döndüler.

Yamaç boyunca beş yüz metre güneye doğru ilerlediler, köşe bucak her yeri arayarak. Bazen, Beck'in bulduğuna benzeyen ihtimalleri daha iyi araştırabilmek için ellerinden geldikçe kayalıklara tırmandılar. Hiçbir belirti yoktu. En sonunda kendilerini, karlar içinde başka bir yarığa tepeden bakarken buldular. Birkaç metre aşağısı, erimiş kar suyunun damlamalarından oluşan akıntı tarafından oyulmuştu. Çok geniş bir oyuktu ve karşıya geçebilmenin hiçbir yolu yoktu.

"Peki bunun diğer tarafındaysa..." diye başladı Tikaani.

"Değil." Beck kısa kesti. Buz yarığı gibi şeyler harita üzerinde gösterilmezdi. Açılır ve çok çabuk kapanırlardı ama geçidin olduğu bölgeyi geçmiş olduklarından epey emindi. Buz yarıkları doğanın işaret yoluyla "geri dön!" deme şekliydi. Öyle de yaptılar. Geldikleri yoldan geriye doğru tekrar işe koyuldular. Beck, daha önce kontrol etmiş oldukları yerleri, başlangıç noktasında varıncaya kadar tekrar kontrol etmenin hiçbir zararı olmayacağı hükmüne vardı Sonra birbirlerine baktılar, omuzlarını silktiler ve ilerlemeye devam ettiler.

"Hey..." Tikaani birden seslendi ve Beck'in kalbi hopladı. Ardından arkadaşının, kendisinin çoktan keşfetmiş olduğu bir çatlağa baktığını fark etti. Kafasını salladı.

"Üzgünüm ama bakmıştım daha önce."

Tikaani'nin omuzları çöktü ve yorgun argın yürümeye devam ettiler. Önlerinde bulunan yamacın yüzü, dışa doğru çıkıntı yapıyordu ve sonrasında dağın arkasına doğru bükülüyordu.

Kavis yapmaya devam ettiğini anlamaları biraz zaman aldı. Bir dakika sonra yamacın hemen solunda, kayanın içine giren bir yarık aniden belirdi. Ayakta duruyorlardı ve bir süre ona baktılar. Heyecan duymamalarına neden olacak kadar hayal kırıklığı yaşamıştılar. İkisi de başka bir çıkmaz sokak için enerjilerini boşa harcamak istemiyordu.

"Bu?"

"Olabilir..."

"Galiba başkası da aynı şeyi düşünmüş olmalı." dedi Beck. Yarığın içine doğru karın üstünde neredeyse görünmeyen bir dizi ize işaret etti.

Bir grup köpek patisi izine benziyorlardı. Her ayak, dört küçük ayak parmağının daha büyük bir girintinin üstünde yarım daire şeklinde sıralanmasıyla oluşmuştu. Ancak her ikisi de bunların bir köpeğin izi olmadığını biliyorlardı.

Çocuklar birbirine baktı.

"Peki, kurt hâlâ içerideyse ne yapacağız?" diye sordu Tikaani.

Beck omuz silkti. "Cici köpek deriz?" İçeriyi daha iyi görebilmek için kafasını biraz daha uzattı.

"Hav-hav?"

Ayrık, daha önce bulmuş olduğu çıkmaz geçitten kesinlikle daha derindi. Aşağıya doğru tüm yol görünmüyordu çünkü kıvrılarak dönüyordu ama doğru yöne ilerliyordu. Evet, bu aradıkları geçit olabilirdi... ama içerisi dolu olabilirdi. Pati izleri tekrar ortaya çıkmadı. Kurt hâlâ içerideydi. Aç ve muhtemelen gözü dönmüş bir yırtıcı hayvan. Beck bunlardan birisiyle birlikte kapalı bir alanı paylaşmak istemezdi.

Belki de kurdun bütün yol boyunca ilerlemiş olabileceğini düşündü.

Pekâlâ, onlar iki kişiydi ve kurt yalnızdı. Ayrıca sopaları sayesinde muhtemelen onu korkutabilirlerdi. Tek bir şey kesindi, sonsuza kadar dışarıda böyle bekleyemezlerdi.

"Hadi bakalım." dedi Beck ve içeri girdiler.

KURT YOLU

Tikaani bir süre sonra, "Burası olabilir." dedi. İki tarafı yüksek duvarlar arasında tek sıra halinde yürüdüler. Olası kurt saldırısına karşı sopalarını hâlâ sıkıca tutuyorlardı.

"Evet..." diye onayladı Beck. Duvarların arası yavaş yavaş açıldıkça yan yana yürümeye başladılar. İleride keskin bir köşe vardı. Er ya da geç geçit düz bir vadiye açılmak zorundaydı ve bunun gerçekleşeceği yerin bu köşe olduğunu düşündü. "Buralarda olmalı..."

Köşeyi döndüler ve sert kayalık bir duvarla burun buruna geldiler. Bir başka çıkmaz geçit daha.

"Hayır!" Tikaani çığlık attı, kısa öfkeli bir bağrıştı.

Beck refleks ile, "Bağırma" dedi. "Burası birinci derece çığ alanı." Gerçi tam da şu an tepelerinin üstünde binlerce ton kar olmasını umursamamış olabilirdi.

Beck ekledi: "Üzgünüm, dostum. Sadece devam etmek zorundayız."

Tikaani, geri dönüş yolunda "Acıktım," diye mırıldandı. En son yemek yediklerinden beri çok zaman geçmişti. Beck öncesini düşündü ve buzula varmadan çok daha önce yediklerini fark etti. Düşüncelerini açlıktan uzak tutmak için o zamandan bu zamana yeterince şeyle uğraşmışlardı. Ama şimdi...

Topladıkları yiyecekler bitmişti. Beck, şimdiye kadar geçitten karşı tarafa geçmiş olmayı ve açlık bastırmadan önce karşı taraftaki yiyeceklerden toplayabileceklerini hesaplamıştı.

Aç bir gece geçirebilirlerdi.

Tikaani duraksadı ve kayanın yüzeyine parmağını sürdü. "Buna ne dersin?" diye sordu. Gri-yeşil liken kayadaki çatlaklardan dışarı fırlamıştı. Tikaani süngerimsi kümelerden birine parmağıyla bastırdı. Baskı altında küçüldü, sonrasında lastik gibi tekrar geri fırladı. "Demek istediğim," dedi, "sen çoğu şeyi yiyorsun ya."

"Bu iyi değil," diye açıkladı Beck, kafasını sallayarak. "İnsan için çok asidik. Eğer yemek istersen, asidi etkisiz hâle getirmek için bir şekilde işlemek zorundasın."

Tikaani suratını astı. "Ayrıca bu kayalar muazzam lezzetli gözükmeye başladılar... Peki kurt nereye gitti?"

"Belki de öylece açlıktan ölmüştür." diye mırıldandı Beck.

"Eyvah..." Tikaani pati izlerini tekrar bulmuştu ve gözleri ile takip ediyordu. Sonrasında birazcık ileride aşağıya çömeldi ve yüzünü neredeyse yere dayadı. 'A-aa Beck...'

Beck bir an sonra yanındaydı ve ne olduğunu gördüler. Burada kaya yüzeyinde başka bir çatlak vardı. Epey önce bir zamanda oluşmuştu. Şimdi oluşmamıştı çünkü bir zamanlar, belki bin yıl önce, belki de dün, bir kaya aşağıya düşmüş ve girişi engellemişti.

Tek geçiş yolu kayanın altındaydı .Tikaani'nin keşfettiği küçük, kar ile tıkanmış alan.

Ya da üstünden geçebileceklerini düşündü.

"Burada bekle," dedi Beck. Kar ayakkabılarını çıkarttı ve kayanın kenarından yukarıya tırmandı. Oldukça dikti, dikkatli olmalıydı. Güvenebileceği üç desteği, ayak veya elleri, her defasında sağlama aldığından emin olduktan sonra dördüncüyü hareket ettirdi. O kadar da yüksek değildi ve sadece birkaç dakika içinde kayanın üstünde, batıya bakan tarafta duruyordu. Sonra Tikaani'ye seslendi.

"Yukarıya gel ve manzaranın tadını çıkart!"

Tikaani bir dakika sonra ona katıldı ve geçide doğru göz attılar. Beck'in tahminleri doğru çıkmıştı. Dar ayrık geniş bir patikaya doğru açılıyordu ve buradan az ötede ise dağlara kadar devam eden bütün bir vadi vardı.

"Huu-haa!" Tikaani neşeyle bağırdı ve derhâl dudaklarını ısırdı. "Özür dilerim," diye ekledi, daha sessizce.

"Farkındayım, çığ tehlikesi. Fakat, neyse, tebrik ederim."

"Huu-haa," Beck de ona katıldı, genişçe sırıtarak. "Kar ayakkabılarını getir ve yola koyulalım."

BÖLÜM 10

Tikaani yürürken, "Biz Anaklar, dağcılık yeteneklerimiz ile bilinmeyiz," diye haykırdı. "Şimdi nedenini anlamaya başladım..."

Dar kanalın ötesinde geçit genişliyordu. Kurt izlerinden hiçbir işaret yoktu. Beck, kurdun bu yolu kullanarak, çok uzun zaman önce buradan geçmiş olduğuna karar verdi. Yürürken çıkardığı izler, yeterince uzun süre geçtikten sonra karın altına gömülmüştü. Pati izleri, iri kaya parçasının diğer tarafı korunaklı olduğu için silinmemişti. Buradaki vadi tabanı tıpkı gerilerinde kalan dağın eteklerinde olduğu gibi kalın bir kar tabakasıyla kaplıydı. Vadi bir uçtan diğerine doğru çok yumuşak ve derin bir U-dönüşüyle kıvrılıyordu. Uç noktalarında gökyüzüne doğru hızla yükseliyor, karları dağıtarak hemen altındaki keskin, siyah kayayı açığa çıkarıyordu. Beck müzakerelerin kolay olacağını tahmin etti; önemli bir engel ortaya çıkartmayacak gibi görünüyordu.

"İşte bu yüzden nadiren tırmanıyoruz. Buralarda kesinlikle yiyecek bir şeyler yok." Tikaani sorunun üstüne parmak basmıştı. "Ve bu yüzden aşağı ovalarda ya da deniz kenarlarında yaşıyoruz."

Dondurucu, kuru rüzgârlar tarafından vadi aşındırılmıştı. Tikaani haklıydı; burada yemek için herhangi bir şey bulma şansı azdı.

"Mantıklı," dedi Beck. "Hayatta kalmak zorundasınız."

"Biliyorum." Tikaani iç geçirdi. "Biliyorum. Eğer Kuzey Kutup Dairesinde yaşayacaksan, ilk önce hayatta kalman gerekir. Keşfe çıkmak ya da eğlenmek gibi lüksler için vaktin olmaz. Ama bilirsin-" Beck'e tek kaşını kaldırdı. "-bugünlerde, kimseyi Kuzey Kutup Dairesinde yaşamak için ikna edemezsin."

Geçit hâlâ yukarı doğru yöneliyordu. Beck'in daha önce belirttiği gibi henüz tepeye gelmemişlerdi ama yukarı doğru eğim eskisinden daha ölçülüydü. Çok geçmeden onları buraya getiren kayalıktaki yarıktan çok daha yüksektelerdi. Geriye baktıklarında, tüm görebildikleri sadece vadi duvarları tarafından çerçeve içine alınmış gökyüzüydü. Çok uzak mesafede bir parça ufuk çizgisi olabilirdi. Fakat, orada toplanmış olan bulutlarla birleştiği için emin olmak imkânsızdı.

Bulutlar... Kalın ve şişkindiler. Beck kaşlarını çattı. "Hızlanmaya ihtiyacımız var," dedi. "Gerçekten ihtiyacımız var. Bir sürü zaman kaybettik ve bu bulut kümesi geldiği zaman ortalıkta olmak istemiyorum."

Tikaani ileri doğru bakıyordu. "Bu bir kayaya benzemiyor..."

Bir şey yarıya kadar karın içine gömülü uzanıyordu. Zeminden dışarı fırlamış kayalar sık rastlanan bir şeydi ama önlerinde olanın hatları daha yumuşak ve kıvrımlıydı. Ona ulaştıkları zaman Beck, gördüğü şey karşısında keyiflendi.

"Bu bir ren geyiği." dedi. Yanına dizlerinin üstüne çöktü ve hızlı, seri hareketler ile ölü hayvanın karın bölgesindeki karları süpürdü.

"Rudolph'a* emeklilik yaramamış." dedi Tikaani.

Hayvan fırça gibi kahverengi kıllar ile kaplı, küçük bir inek büyüklüğündeydi. Gözleri donuk ve boş bakıyordu. Boynuzlarından bir tanesi kırıktı ve boynu doğal olmayan bir açıyla bükülmüştü. Beck, vadinin kenarında yukarıya doğru yükselen kayalıklara baktı. Geyik onların birinden düşmüş ve vadinin kenarından aşağıya yuvarlanarak yere çarpmış olmalıydı.

Beck Bowie bıçağını kılıfından çıkarttı ve Tikaani'nin gözleri kocaman açıldı.

"Şaka yapıyorsun! Bunu mu yiyeceğiz?"

"Ne dedin, güzel bir geyik eti kızartması mı?" Beck güldü. "Keşke. Ancak, burada ateş yakarak yemek pişirmenin imkânı yok.

"Hayır, bunu yemeyeceğiz... Pek sayılmaz..."

Sami kabilesi ile geçirdiği zamanalar için şükretti. Ona öğretmiş oldukları en iştah kaçırıcı şey, şu an hayatlarını kurtarmak üzereydi.

---

* Santa Claus'ın kırmızı burunlu geyiğinin ismi.

Beck eldivenlerini çıkardı ve ren geyiğinin ön bacaklarının arasından göğüs kemiğini yokladı. Sonra bıçağın keskin tarafı ile ren geyiğinin derisi üzerinde çalıştı ve sırtına kadar kesti. Ren geyiği donduğu için kesmek çok zor oldu ama yavaş yavaş derisi parçalara ayrıldı ve hayvanın karnı ortaya çıktı. Hayvan ölü olduğu için kalbi kan pompalamıyordu ve çok az kan vardı. Beck yağ ve doku katmanlarını yana çekti. Ren geyiğinin bağırsakları lastiğe benziyordu. Şişirilmiş balonlar ustalıkla bir arada paketlenmişti. Beck, iç taraflarının don tutmamış ve kan kokusunun keskin metalik olması nedeniyle onun, çok uzun süreden beri ölü olamayacağını düşündü.

Tatlı ve ekşi aynı andaydı, bozuk ve hoş kokuluydu. Bu şey, dışarıdaki açık havada olmak için tasarlanmamıştı. Hayvanın ölü bedeni tarafından saklanması gerekiyordu.

Tikaani, dehşete kapılmış, büyük bir merakla izliyordu. "Tamam. Ne yiyeceğiz... Böbrek? Kalp? Demek istediğim..." anlamsız sesler çıkarmaya başladı, belki de tüm dikkatini tiksinme duygusunu gizlemeye odaklamıştı. "Peki, bu, tam olarak kasaptan satın aldığımız etler gibi değil ama baksana, burada hiç mikrop olmadığından eminim ve muhtemelen ilk önce ellerini yıkamadın ama bunun pek bir önemi yok gibi..."

"Gittikçe yaklaşıyorsun."

"Aman Allah'ım. Öyle mi?"

Beck mideye yaklaşmıştı. Gri, yeşil ve koyu kırmızı lekeler ile çizgi çizgi boyanmıştı. Parmaklarının altında kıvrıldı, su dolu bir balon gibi şişkindi. Beck nazikçe yokladı, sonra başını salladı, hissetmiş olduğu şeyden dolayı memnun oldu.

Parmaklarını her iki yönde bulunan boşluklara soktu ve asıldı. Mide yere doğru tıpkı cesedin içine sıkışmış uzaylı bir sümüklü böcek gibi zemine kaydı. Beck bıçağını sapladı ve yarı akışkan bir kütle, karların üstüne döküldü. Oldukça kötü kokuyordu ve Tikaani'nin yüzü tiksintiyle buruştu. Beck parmakları ile kütlenin içinde birş eyler aradı, sonra sırıttı. Büyük çilek boyutunda bir çift sağlam yumruyu havaya kaldırdı.

"Bunlardan yiyeceğiz," diye duyurdu.

"Şaka yapıyorsun!"

Cevap olarak, Beck ağzına bir tanesini attı. 'Mm-mm! Ren geyiği yosunu.'

"Ren geyiğinin içinde yosun yetişir mi?" Oldukça isteksizce, Tikaani topaklardan bir tanesini Beck'in elinden aldı ve incelemek için havaya kaldırdı.

"Hayır, sadece ona taktıkları isim bu." dedi Beck dolu ağızla ve yutkundu.

"Bu aslında liken. Hatırlasana, kayanın üzerindeki likenler için işlenmiş olmak zorunda demiştim? İşte bu şekilde oluyor. Geyiğin içinde. Yarı sindirilmiş durumda ve geri kalanını da biz yiyebiliriz."

Tikaani hâlâ elindeki topağa bakmaktaydı. Parmağı ile dürttü. Ezildi ve sıktıkça sıvı dışarıya aktı.

"Hey," dedi Beck, çok ciddiydi. "Bunu gerçekten yapmamız lazım. Tekrar ne zaman yemek yiyeceğimizi bilmiyoruz ve günbatımından önce bu geçitten çıkabileceğimizle ilgili ciddi şüphelerim var. Bu tür şeyler, senin asla bilemeyeceğinden çok daha uzun süre atalarını canlı tuttular."

Tikaani kasvetli bir şekilde, "Onların çizburgeri olmadığı için." dedi.

"Şu anda bizim de yok."

"Şu anda... haklısın yok." Tikaani kabul etti. Yosun yumağını havaya kaldırdı. "Aman Allah'ım. Bu şeyi ağzıma koymak üzereyim.

Bir parça Ren Geyiği dışkısı ağzıma koymak üzereyim. Ben..."

"Henüz dışkıya dönüşmedi. Bu, daha ilerideki aşamalarda gerçekleşiyor."

"Sağ ol, teşekkür ederim, bu içimi ferahlattı." Tikaani gözlerini kapattı ve eliyle çenesini tuttu. Böylece yosun içeriye girmek zorunda kaldı. Çok yavaşça çiğnemeye başladı, gözleri hâlâ sıkıca kapalıydı.

"Mmph," diye homurdandı karışık bir şekilde. "Ta-mam. Tadı tıpkı..." Bir parça yuttu. "Biliyor musun... Aslında tadının neye benzediğini düşünmemek için çabalıyorum."

"Taze yeşil salata gibi" Beck fikrini söyledi.

Tikaani'nin gözleri açıldı, şaşkın ve düşünceliydi. "Peki... tamam." Tekrar yuttu. "Biraz mayonezli yapılabilirmiş ama... evet. Salata. Daha var mı?"

Beck gülümsedi ve ona bir parça daha uzattı.

Ren geyiği yosununu bitirdiler ve son sularıyla ellerini yıkayıp temizlediler.

Sonra Beck, Tikaani'ye taze yağmış toz karları, boş şişelerin içine nasıl kepçeyle doldurulacağını gösterdi.

"Şimdi," dedi, "şişeyi kıyafetlerinin içine sok. Teninin hemen yanında olmasına gerek yok. Vücut sıcaklığın onu ısıtır. Yarım saat bekle ve yine tertemiz taze su elde etmiş olursun."

"Karları öylece yiyemez miyiz?" diye sordu Tikaani. Sırt çantalarını arkalarına atmış ve geçitte tekrar yola koyulmak üzereydiler.

Beck kafasını salladı. "I-ıh. Kar sadece donmuş değil, donma derecesinin de altındadır."

Bu şekilde kendi başına, ağzının içinde soğuk ısırığı olmasına yol açarsın. Çok fazla yaparsan yaralar, ülserler... yani bunu yapma. Ayrıca, midendeki kar, vücut sıcaklığını düşürür ve bunun anlamı, kendini tekrar ısıtmaya çalışırken, vücudunun boş yere enerji harcamak zorunda kalır. Olmasını istediğimiz bir şey değil bu.'

"Hmm..." Tikaani düşünceliydi; bu dakikadan sonra olağan dışı bir şekilde sessizleşti. Beck, sessizce yürümenin epey bir tadını çıkarıyordu. Her iki yanlarında yükselen keskin tepeler vardı.

Milyonlarca yıllık tarihi kayalar. Saf, lekesiz sürekli kar altında kalan geniş bir arazi. Başka bir akciğer tarafından solunmamış soğuk, taze hava.

Dolup taşan 21.yüzyıl teknolojisi çevrelerindeki vahşi doğa tarafından gölgede bırakılmıştı ve bu iki çocuk için yapabileceği hiçbir şey yoktu, Şu an Beck'e lazım olan tek sohbet, ihtişamlı doğayla yapacağıydı.

"Fazla birşey bilmiyorum, değil mi?" Tikaani aniden sessizliği bozdu.

Beck ona baktı, şaşırmıştı. "Hey, yeterince şey biliyorsun!"

"Tabii evet, epey, mesela trafik lambalarındaki 'yürüme' butonuna basmayı hatırlayabilirsem karşıdan karşıya geçebiliyorum. Buradayken kendi başımın çaresine bakacak kadar şey bilmiyorum. Ben kar yemiş olurdum, bunun dışında bir şey yapamazdım zaten. Çok daha önceden açlıktan ölmüş olurdum çünkü hangi çileklerin yenilebilir olduğunu bilemezdim. Ayrıca ren geyiğinin midesinden çıkan şeyi yemek? Mümkün değil! Ama... Ben bir Anak olarak doğdum. Bütün bunları doğuştan bilmeliyiz ama kimse bana bunları öğretmedi ki..."

Tekrar sessiz kaldı, ancak Beck henüz bitirmemiş olduğunu hissediyordu. Bir dakika sonra şunları ekledi: "Ya da belki denediler... sadece ben dinlemiyordum."

Beck omuzlarını silkti. "Aslında dinliyormuşsun. Ayılar, kar ayakkabıları, soğuk ısırığı... biliyorsun işte. Sadece pratiğe ihtiyacın var."

"Sanırım." Tikaani aniden güldü, karanlık ruh hali kayboluyordu. "Ren geyiği yosunu yiyen ilk adam kimdi acaba?

Kim acaba ölen bir geyiğe ilk kez baktı ve düşündü, Mmmm, eti boşver, bahse varım karnındakiler daha lezzetlidir?"

Beck de onunla birlikte güldü. "Belki aynı kişi Afrika'nın ortasında da sıkışıp kalmıştı ve düşünmüştü "Lanet olsun, odunum bitmek üzere, acaba ateş için ne yakabilirim? Buldum! Fil pisliği!"

Tikaani bir yuh çekti. "Fil dışkısı?"

"Aynen. Ayrıca, hayal edebileceğinden çok daha kötü koktuğunu söyleyebilirim."

"Hayır" dedi Tikkani, çok ciddi gözüküyordu. "Muhtemelen öyle değildir."

Rüzgâr onları enselerinde yakaladı. Tersine doğru yürürseniz, oldukça rahatsız olacağınız yakıcı bir soğuktu ama arka taraflarından önlerindeki yola doğru esiyordu. Beck'in aklına eski bir Celtic duası geldi: 'Yollar seni selamlamak için önünde yükselirken, rüzgâr her zaman arkandan essin.'

Bu yol gerçekten onlara selam vermek için yükseliyordu Hâlâ biraz yokuş yukarı çıkıyorlardı ve rüzgârın arkadan vuruyor olması, birinden isteyebileceğiniz hoş bir iyilik gibiydi.

"Tikaani, haritayı çıkartabilir misin?" diye sordu. Tikaani'nin, çantasını çekiştirdiğini hissetti ve kısa bir süre sonra harita uzatıldı. Geçide bakmak için haritayı açtı. Görmek için oldukça yakın tutması gerekti.

Eğer doğru okuyabiliyorsa, gün batımından önce geçitten çıkabileceklerdi. Hâlâ gün ışığı vardı.

En azından olmalıydı. Saatini kontrol etti. Evet, hâlâ günbatımına kadar birkaç saat vardı. Ancak loş aydınlıkta bile haritayı okumak epey zordu. Sanki bir şey, güneşi engelliyor gibiydi...

İsteksiz bir içgüdü, karşıdaki bulutlara bakmasını sağladı. Şiddetli rüzgâr yüzünü kesti ve yüreğine bir kasvet çöktü. O an, bugün için geçitten dışarıya çıkamayacaklarını anlamıştı. Aslında, eğer hemen şu anda bir şeyler yapmazsa, geçitten dışarıya hiç çıkamayacaklardı.

Fırtına beklediğinden çok daha hızlı ilerlemişti. Onlar konuşup gülerken sinsice arkalarından yaklaşmıştı. Bulutlar karanlıktı ve milyonlarca ton kar ile şişmişti. Kar ve karanlık toprağı tamamen silmişti. Beck dağın tepesinde dikilirken fırtınayla aynı yükseklikteydi.

Fırtına için yukarıya değil doğrudan karşıya bakıyordu. Tıpkı, vahşi bir hayvanın gözlerinin içine bakmak gibiydi.

Yoluna çıkan her şeyi süpürmeye hazır vahşi bir hayvan.

BÖLÜM 11

Tikaani, Beck'in bakışlarını takip etti. "Oops. Üzerimize kar mı yağacak?"

"Eğer dikkatli olmazsak, ölmüş olacağız." Beck açık sözlüydü, "Biraz kazı yapmak ister misin?"

Tikaani'nin cevabını beklemeden, kar ayakkabılarının izin verdiği kadar vadinin kenarına tırmandı. Çok uzağa gitmemişti, sadece yatay ile yaklaşık otuz derecelik bir açı elde edene kadar ilerledi. Sopasını karın içine itti ve üzerine bütün ağırlığını yasladı. Sopa sonuna kadar içeri girdi ve yine de hiçbir şeye çarpmadı. Mükemmel diye düşündü Beck. Muhtemelen, onlar ile kayalık arasında birkaç metre kar olmalıydı. Bu işlerine yarardı.

Tikaani yanına gelmişti. "Kazıyor musun?" diye sordu.

Beck dizlerinin üstüne çöktü ve karı yumrukladı. En üstte, çok ince bir buz tabakası vardı. Bunların adı neve buzu olarak biliniyordu. Karın önce eriyip sonrasında donduğu yerdi. Bunun altındaki kar taze ve toz şeklindeydi. Olması gerektiği gibi.

"Kar barınağı yapacağız." dedi. "Kazmaya başla."

KURT YOLU

Tikaani, yanına çömeldi ve söylendiği gibi yaparak bir insan terrier* gibi yeri eşelemeye başladı. Eldivenli ellerinden mükemmel bir kürek yaptı. "Sadece çömeleceğimiz kadar bir oyuk mu açmalıyız?"

"Aynen!" diye onayladı Beck.

Sırıttı ama neşesi yoktu. Derin bir çukur açarlarsa ne olacağını açıkladı. "Kar ile izole etmek. Soğuk havayı dışarıda, sıcak havayı..."

"Afedersiniz," diye araya girdi Tikaani, kazmaya devam ederken. "Eskimo halkından ünlü kişilerin tercih ettiği türden bir rezidans mı?"

"Ha?" Beck bir anlığına kaşlarını çattı, sonrasında yüzündeki ifade netleşti. "Ah tabi ya."

"Haklısın!" Tikaani tam olarak aynı prensiplerle inşa edilen Eskimo evleri olan igloları kastediyordu. Kar, katı paketler halinde iyi bir inşaat malzemesiydi ve harika bir yalıtkandı. Muhtemelen Beck, kar hakkında Tikaani'nin daha önce bilmediği herhangi bir şeyden bahsedemezdi.

"Daha önce hiç kar barınağında bulundun mu?" diye sordu.

Tikaani başını iki yana salladı. "Yok, hayır. Genellikle avcılar tarafından kullanılırlar ve ben hiç ava gitmedim veya dışarıda fırtınanın ortasında sıkışan insanlar tarafından..." Beck'e doğru gülümsedi. "Ayrıca bunu da hiç yapmamıştım,

* Köpek cinsi.

bugüne dek. Babam çok dikkatliydi, tipiye yakalanmayacağımızda her zaman emin olmuştur."

"Hı-hı" Tikaani'nin aksine, Beck'in bir tipi deneyimi vardı; kendi istemişti. Belinin çevresine bağladığı bir halatla ki böylece emniyette olacaktı, Sami kabilesi, sadece neye benzediğini görsün diye onu kar fırtınasının içine göndermişti. Herhangi bir şey görememişti, hatta hangi tarafın yukarısı veya aşağısı olduğunu bile.

Yön ile ilgili bütün algıları otuz saniye içerisinde yok olmuştu. Baktığı her yerde, her nasıl oluyorsa, sadece dönmekte olan acımasız bir beyaz vardı. Eğer bir tipiye yakalanırsanız, tek çözüm hareket etmeyi bırakıp bir barınak yapmaktır. Eğer ilerlemeye devam ederseniz, o zaman sadece kaybolmazdınız, herhangi bir şeyin zemin mi yoksa sadece kar dolu bir hava mı olduğunu dahi anlayamayabilirdiniz. Hatta bu yüzden düşebilir ve üstelik yere çarpana kadar bunu fark edemezdiniz.

Şimdiye kadar etraflarında, taze kazılmış, oldukça büyük bir kar yığını birikmişti. Beck, birazını engel oluşturmak için topladı ve hepsine birlikte baskı uyguladı. Çok az bir basınç ile gevşek toz, sert bir kütle haline sıkıştırılmıştı.

"Yani, kartopu savaşı için hâlâ vaktimiz var?" diye şüpheyle sordu Tikaani.

"Pek sayılmaz." Beck çukurun yanında duran bloğa vurdu ve biraz daha kar topladı. "Bu çukur bizim girişimiz olacak, ve dahası, rüzgârı dışarıda tutmak için bize bir blok lazım olacak. Küçük bir duvar iş görür."

KURT YOLU

Tikaani kazdıkları çukura doğru ilk kez farkındalık için-
de baktı. "Bu tam rüzgârın karşısında duruyor. Tekrar kar
ile dolacaktır. Rüzgârdan uzakta, başka bir eğim kazmamız
gerekmiyor mu?"

Beck başını iki yana salladı. "Kar, asıl senin dediğin gibi
bir eğimi yıkabilir ve oradaki her şeyi gömer. Eğer rüzgârın
estiği yönde durursak girişi boş bıraktığımız zaman karın her
defasında bizi geçeceğini biliyoruz. Bu yüzden, rüzgârı çukur-
dan uzak tutmak için bu duvarı kullanacağız. Sen kazmaya
devam et. Bir dakika içinde yardıma geleceğim."

Beck'in duvarı inşaa etmesi sadece birkaç dakikasını aldı.
Çok yüksek veya çok mükemmel olmasına gerek yoktu.
Bloklar kaba ve kusurluydu, ancak birbirlerine kenetlen-
mişlerdi. Bu bile rüzgârın hızını önemli ölçüde azalttı ve
çocuklar farkı hissettiler. Bu sıcaklık sanki, içlerindeki bir
açan bir çiçek ve az önce orada olmayan ve aniden açmış
bir tomurcuk gibiydi.

Çukur, yaklaşık on beş dakika sonra iki çocuğun da yan
yana durabileceği kadar derinleşmişti. Kar seviyesinin al-
tındalardı ve üstlerindeki rüzgâr hiddetlenirken kazmaya
devam edebiliyorlardı. Rüzgâr şimdiden karın ilk yağmaya
başladığı ana göre çok daha güçlüydü. Üstlerinden ve yanla-
rından fırıl fırıl dönerek ilerleyen bir kümenin içindeydiler
ve onların gerisinde kalan alanı kırbaçlayarak ilerliyordu.
İçlerinden biri ne zaman dışarıya göz atmak için kafasını
çıkartsa, yüzünü yakan rüzgârdı.

"Geceyi bu şekilde mi geçireceğiz?" diye ümitsizce sordu Tikaani.

Beck gülümsedi. "Hey, daha yeni başladık!"

Kafasını çıkararak dışarıya son bir kere göz attı. Üstlerine doğru hortum yaparak gelen bir kar fırtınası vardı. Bir siluet fırtınanın içinde hareket etti. Beyaz bir gölge, rüzgâr ile süzüldü.

Beck'in sahip olduğu bütün kaslar gerildi ve nereye gittiğine dair gözlerini zorladı. Beyni dönerek ilerleyen kar tanelerini belirli bir şekilmiş gibi yorumluyor olabilirdi. Sonuçta bununla alakalı şimdiye kadar epey bir süredir düşünmüştü yine de bir kurt şekline çok fazla benziyordu.

Bununla birlikte, yaklaşmakta olan fırtına bir kurttan kat kat fazla ölümcüldü ve Beck, tek başına bir kurdun saldırmasının olağan dışı olduğunu biliyordu. Hatta, mağaralarına ortak olmak da istemezdi çünkü kurtların kendi kürk ceketleri vardı.

"Derinlik yeterli mi?" diye arkasından seslendi Tikaani. Beck'i bulundukları zamana geri döndürmüştü. Kurtlar hakkında ileride endişelenebilirdi, eğer zorunda kalırsa. Şu an için hiçbir şekilde Tikaani'yi tedirgin etmemeliydi. Çukurun içine geri indi. Bir metre derinliğindeydi, sıcaktı ve hoş bir sessizlik hâkimdi. Kar yalıtımı, fırtınanın gücünden olduğu kadar fırtınanın sesinden de koruyordu. Kıvrılıp uykuya dalmak için çok davetkârdı... ama henüz bunun zamanı değildi.

Çevreye göz atarken, "Bu yön için yeterince derin..." diye onayladı. "Şimdi tekrar yukarıya doğru kazmaya başlayalım."

Sonra kar yüzeyinin altından yukarı doğru tekrar açık havaya çıkmamak için özen göstererek sabit bir açıyla kazdılar. Mağarayı, Beck'in beğeneceği hâle getirmek bir saat daha aldı. Zaten aciliyet ortadan kalkmıştı. Bir kere güven içinde içeriye girdikleri için kazı alanlarını genişletebilirlerdi. İşleri bittikten sonra kar tozlarıyla kaplıydılar, ama temizlemesi kolaydı ve yapıtlarıyla övünebilirlerdi.

Odanın son hali neredeyse üç metre genişliğinde ve bir buçuk metre yüksekliğindeydi. Zemin, ikisinin yan yana yatabileceği kadar büyük, düz bir platformdu. Karın altından yukarı doğru kazdıkları için yükseklik girişten daha fazlaydı. Sırt çantaları ve Beck'in kardan duvarı sayesinde rüzgâr engellendi. Bu, onlar ile dışarısı arasında fazladan bir koruma sağlıyordu. (Ve bu sayede ziyarete gelecek olan herhangi bir kurdu da dışarıda tutabilirlerdi diye düşündü Beck). Hava sıcak ve dingindi. Fırtınanın sesi, eğer ona kulak verirlerse duyulan, uzak bir yankı oldu. Çift katlı camların öbür tarafında gibiydi.

Beck, girişi işaret ederek, "Soğuk hava kırılıyor," dedi. Sesi kendi kulaklarına bile boğuk geliyordu. Kar titreşimleri emiyordu. "Burada iyi ve sıcak olacağız. Fakat bana duvarları düzeltmem için yardım etsene, aksi hâlde üstümüze damlatacak."

Bir süre birlikte sessizce çalıştılar. Tikaani birkaç kez dışarıya doğru hohladı. Nefesinin dumanı önünde fırıl fırıl dönüyordu. "Nefes verirken ağzımdan çıkan buharı hâlâ görebiliyorum." dedi.

"Güzel." Beck son parça karı da düzleştirdi ve çevresine baktı. "Eğer hava yeterince ısınırsa, burası üstümüze çöker. Bu ısı bize yeterli olacaktır. Burada sıcaklık asla sıfırın altına düşmez. Bu arada ıslak kıyafetlerini dışarıya koyarsan iyi edersin. Sabaha kadar donarak kurusunlar."

Tikaani, kafasıyla girişi işaret ederek, "Dışarıyla kıyaslarsak, burada tropikal iklim var." dedi. Islak olan malzemeleri için sırt çantasını açtı. "Jakuziyi nereye koyalım?"

Beck, uyuyacakları yere brandayı sererken kıkırdadı. Zemin karla kaplıydı. Vücutlarındaki ısının emilmemesi için hâlâ bir izolasyona ihtiyaçları vardı "Onu yarın yaparız, plazma ekran TV ve kablolu yayını kurduktan hemen sonra."

"Hey, harika! İyi bir televizyon sayesinde belki arayı kapatabilirim."

Beck sırt çantasındaki dağınık duran bütün malzemeleri alıp brandanın içine serdi; yedek kıyafetleri karla temaslarını kesecekti. Sonra ceketinin içine doğru uzandı ve su şişesini çekti. Salladı ve içindekilerinin çalkalanma sesini duydu. Söylediği gibi kar erimişti.

"Yoğun talep üzerine taze suyumuz gelmiştir." diye belirtti. "Para ile alabileceğin şişe sulardan daha saf ve daha ucuz."

"Hey, evet." Tikaani kendi şişesinden büyük bir yudum aldı. "Belki bir tane de tuvalet kazmalıydık. Nihayetinde bunlar dışarıya da çıkacaklar."

"Tuvaletimiz var." Beck aşağıdaki girişi gösterdi.

Tikaani ilgisiz bakıyordu. "Tabii ama tekrar dışarı çıkmamayı umuyordum..."

Beck kafasını iki yana salladı. "Dışarı değil. Bunun için ısı kaybetmeye değmez. Sadece biraz ileriye gitsen olur. Bırak kar onu emsin." Tikaani'nin kıyafetlerinin yayılmış olduğu yere doğru baktı. "Sadece bunların ilerisine geçmemeye çalış."

Dışarısı neredeyse kararmak üzereydi ve içerisi daha da karanlıktı, meşale veya ateş yoktu. Ayrıca her ikisi de yorgundu. Brandanın üstüne uzandılar ve Beck, Tikaani'nin lüks içinde gerindiğini gördü.

"Dağın tepesindeki bir delikte karların içinde olmamız hiç umurumda değil. Bu herhangi bir otelden kesinlikle daha iyi."

Beck karanlıkta kendi kendine gülümsedi. Yolculuklarının ikinci günü için planladığı son hiç de böyle değildi fakat çok daha kötü hâlde de olabilirlerdi.

"Sana bunu Finlandiya'dayken mi öğrettiler?" diye sordu Tikaani.

"Bunu mu? Hayır. Bunu Cairgorms'da geçen bir hafta sonunda öğrendim."

"Neredeydi?"

"İskoçya. Memleketime yakın."

"Hadi be." Bir süre sonra: "Atalarım gerçekten ne yaptıklarını biliyordu, değil mi?" Tikaani'nin sesi düşünceliydi, önceki yaptıkları konuşmalara geri dönmüştü.

"Sen de bunları biliyorsun." diye cevapladı Beck. "Geri dönmek biraz zaman alabiliyor."

"Evet." Tikaani esnedi. "yavaş yavaş" diye mırıldandı...

Kısa bir süre sonra düzgün nefes alışverişlerinden de açıkça anlaşıldığı üzere birdenbire uykuya dalmıştı.

Beck uzandı ve bir süre daha fırtınayı dinledi. Uykuyu davet etmedi çünkü kendiliğinden geleceğini biliyordu.

Önceki gece olduğu gibi Al'ı düşündü. Gün boyunca amcasını düşünememişti. Şu an bununla meşgul olmak için beyninde yeterince yer vardı. Al şimdi ne yapıyordu? Fırtına acaba onu da vurmuş muydu? Küçük barınağı iyi durumda olmalıydı. Gerçi eğer ateşi sönmüşse, ciddi bir belanın içinde olabilirdi. Al'ın kendi başının çaresine bakabileceğini bildiği için şimdilik sadece buna güvenmek zorundaydı.

Uyanık olduğu son anlarda, fırtınanın daha uzun sürmemesi için sessizce dua etti. Uzun bir hapis hayatını atlatacak kadar yiyecekleri ve suları yoktu.

Sıcak, kuru ve korunaklı bir yerde olabilirlerdi ama hâlâ açtılar. Sıcak mağara ortamı, kolayca buzdan bir mezara dönüşebilirdi.

BÖLÜM 12

Beck, midesine saplanan keskin bir açlık tarafından uyandırıldı. Yüzünü acıyla buruşturdu ve yan döndü. Uyumuş olduğundan kesinlikle emindi. Haberi olmaksızın saatlerin geçmiş olduğunu algılayabiliyordu.

Bir şeyler değişmiş görünüyordu ve ne olduğunu anlaması biraz zaman aldı. İlk olarak, daha fazla ışık vardı. Beyaz bir ışıltı, tünelin aşağı girişindeki sırt çantalarını geçerek onları gümüş bir ışıkla aydınlatıyordu. Ayrıca ortalık sessizdi. Karın sesleri boğan özelliğine rağmen sessizdi. Rüzgâr esmiyordu.

Işık artı sessizlik eşittir; fırtınasız hava. Fırtınasız hava eşittir; yola koyulmak. Bir an daha burada takılmak için hiçbir neden kalmamıştı.

Tikaani'yi sertçe dürtükledi. "Uyanın, uyanın! Temizlikçinin odayı temizlemesi için çıkmalıyız."

Diğer çocuk sızlanarak kımıldadı. Beck sırt çantalarını kenara çekip tünelin aşağısındaki yola doğru ilerledi. Kış uykusundan uyanan bir hayvan gibi kafasını dışarı çıkardı.

Yolculuklarının üçüncü günüydü ve Beck tutkuyla inanıyordu ki bugün son gündü. Gün batımıyla, bu dağlardan kurtulmuş ve aşağıdaki Anakat'a inmiş olmayı diledi.

İşaretler iyi yöndeydi. Gökyüzü maviydi ve vadinin kenarları el değmemiş şekilde beyazdı. Kardan duvar, rüzgâra karşı durmuştu. Kazarken geride bıraktıkları bütün o dağınık kar öbekleri, yepyeni bir ceket tarafından örtülmüştü ve pürüzsüzdü.

Tikaani, başını Beck'in hemen yanında, dışarıya çıkardı ve uykulu bir şekilde gözlerini kırpıştırdı. "Ben çok açım. Yiyecek bir şeyler var mı?"

"Bol bol" diye güven verdi Beck. Sırt çantasını karın üstüne fırlattı ve arkasından dışarıya doğru süründü. "İsteyebileceğinden de fazlası var." Su şişesini aldı ve karla doldurmaya başladı. Tikaani yukarıdaki keskin kaya parçalarına ve çevreye yayılmış kusursuz bir şekilde pürüzsüz olan karlara baktı. "Nerede?" diye sordu kuşkuyla.

Beck, vadinin aşağısında kalan batı yönünü işaret etti.

"Şu yönde, birkaç saat yürüyünce."

Tikaani sızlandı.

Aslında birkaç saatten daha fazla sürecekti, ama daha az sürecekmiş gibi hissediliyordu. Çok geçmeden her iki çocuk da vadinin aşağıya doğru eğimli olduğunu fark ettiler. Dağların tepesindeydiler. Bu bile tek başına onlara psikolojik bir güç sağladı. Enerji ile yüklendikten sonra karların içine doğru daldılar.

Çok geçmeden, geçitten dışarıya çıkmışlardı ve tekrardan, dağın yamacındaki sonsuz genişlikteki beyaz çarşafın üzerinde iki leke görünümündeydiler.

Alaska önlerinde duruyordu ve tamamı geceki fırtınadan sonra yeni bir kar tabakasıyla kaplanmıştı. Çayırlar ve ağaçların tepelerinin çok aşağısındaydı. Bazen tatlı su birikintilerinden parlayan güneş ışıkları gözlerini alıyordu. Gökyüzüyle yeryüzünün bir araya geldiği yer olan ufuk çizgisi, tam karşılarında, mavi bir deniz gibi parlayan şeritle mühürlenmişti.

"Anakat buranın aşağısında," dedi Beck.

Tikaani'nin ağzı kulaklarına vardı. "Ah, evet!"

Aşağıya inen yol daha dikti. Beck sihirli sayıyı hatırladı; iki derece. Her yüz metre için. Ayrıca bu sefer ısınıyor olacaktı hava. Başlangıçta, diğer taraftan tırmanırken kullandıkları yöntemle aşağıya indiler, bir taraftan diğer tarafa doğru zikzak yaparak. Fakat, Beck dümdüz aşağıya inmenin daha kolay olacağını hesapladı.

"Peki." dedi Tikaani bakarken, kar ayakkabılarını çıkardı ve sırt çantasına astı.

"Bunu yapmak ustalık ister. Büyük adımlar atmalısın..."

Yokuş aşağı birkaç adım attı. Olabildiğince adımlarını ileriye doğru uzatıyordu. Ayağı her yere indiğinde, ağırlığını topuklarına verdi ve bacağını düz tuttu. Ağırlığından dolayı botları karın içinde sürükleniyordu ve dizinin üstüne kadar karın içine batıyordu. Ancak, attığı her adım ile altındaki kar sıkışıyor ve ona otomatik olarak ayağını koyacak bir alan sağlıyordu.

"Denesene," diye arkasında duran Tikaani'ye seslendi. "Başlangıç için birkaç pratik adım atacağız."

Tikaani bir adım attı ve durdu. Bulunduğu vaziyet komikti, bir bacağı neredeyse beline kadar karın içine gömülüydü, diğer ise garip bir açı ile üstte, öndekinin biraz arkasında duruyordu.

"Tamam, işe yarıyor..."

Diğer bacağını da aşağıya indirdi. "Evet, bunu yapabilirim..."

Ardından tekrar ve tekrar. Beck'in yanından yalpalayarak geçti. "Bu çok kolay!"

Beck arkadaşının arkasından hızla yola koyuldu.

Kolaydı. Alıştırma adımları doğrudan normal adımlara döndü. Adımlarının ritmi vücutlarını kontrol ediyordu ve ivmeleri de geri kalanını hallediyordu. Karın içine doğru tıpkı bir çift saban gibi saplanıp, her adım ile birlikte sanki arkalarından bir kar tozu spreyi sıkıyorlardı. Beck arkadaşına ayak uydurmaya çalıştı ama doğrusu arkadaşı yavaş yavaş farkı açıyordu. Tikaani'nin öne eğilme biçiminden ve kollarını sallayış şeklinden dolayı Beck, diğer çocuğun kontrolü kaybediyor olduğundan şüphelendi. Tikaani beklendiği gibi bir dakika sonra öne devrildi ve yanlamasına taklalar atarak eğimli yolda aşağıya doğru yuvarlandı.

"Tikaani!"

Tikaani, kar patlamasıyla birlikte bir kar yığına çarpana dek yuvarlanmayı sürdürdü. Beck aceleyle yanına indi.

Tikaani yerde öylece yatıyordu, karla kaplanmış ve vücudu inceden titriyordu. Beck bir çeşit şok geçiriyor olduğundan şüphelendi. Ancak yaklaştıkça Tikaani'nin gülmekten sarsıldığını fark etti.

"Çok eğlenceli! Hadi tekrar yapalım!"

Yolun bundan sonrasında, dağdan aşağıya doğru inmeleri dağa tırmanmalarından çok daha hızlı gerçekleşiyordu. Çok geçmeden vardıkları yerde, yürüme yöntemlerini destekleyecek kadar kar bulunmuyordu. Ardından Beck'in bir şeylerin üstüne basarak tökezlediği an geldi. Karı bir kenara doğru attı ve kayayı gördü. Neredeyse bütün karın bittiği yerdeydiler. Toprak yamalar şeklinde kuru alanlar çıkmaya başlamıştı. Çok kısa bir süre sonra toprak yamaların olduğu karlı bir bölgede mi yoksa; karlı alanların bulunduğu toprak bir zeminde mi olduklarını söylemesi zorlaştı. Ayaklarının altında sert ve çelimsiz çimler türedi.

Berrak, tatlı su akan bir dereye vardılar. Yukarı doğru tırmanırken, karşılaştıkları dereler hep morallerini bozmuş, aşılması gereken bir engel olmuştu. Bunun hoş bir karşılaması vardı. Sürekli aynı sıcaklıkta, sakin akıyor ve gitmekte oldukları aşağıdaki topraklara kadar onlara arkadaşlık ediyordu. Erimesi için beklemeye gerek olmadan, yanlarındaki su kaynağından direkt olarak tekrar tekrar sıvı hâlde bulunan sudan içebilirlerdi.

Ağaçlara kadar onu takip ettiler. Ağaçlar! Dağın bu tarafında daha kalın gözüküyorlardı. Daha az çıplak tundra ve ondan çok daha fazla olan ağaçlık alan uzaktaki denizin kıyısına kadar her yere yayılmıştı.

"Tamam." dedi Beck. "Sana kahvaltı sözü verdim." Çok zaman geçmeden düşmüş bir ağaç gövdesi buldular. Bowie bıçağı ile kabuğun bir bölümünü kaldırdı ve kıpırdayan küçük bir kurtçuk kolonisi gün ışığında kıvrılmaya çalıştılar.

Tikaani, herhangi bir heves göstermeden onlara doğru baktı. "Farkındayım, dün ölü bir hayvanın midesinden çıkan şeyleri yedim." dedi. "Ama yine de..."

Beck parmağı boyundaki büyük bir kurtçuğu aldı ve incelemek için tuttu. Tıpkı hareketli bir ip parçası gibi kıvrıldı ve parmağına dolandı. Bir an için düşündü. "Bunlardan birini yediğim her sefer sanki dilimin üstüne kakasını yaparak benden intikam alıyor gibi geliyor."

"Her defasında mı? Yani, bunu bir kereden daha fazla yapmış olduğunu söylüyorsun ve hâlâ gerçeği öğrenemedin mi?"

Beck pis pis sırıttı ve kurtçuğun kafasını ısırarak kopardı, sonra onu tükürdü ve cesedini yuttu. "Bu şeylerin yüzde seksenin protein olduğunu biliyor musun? Dana etindeki protein bile sadece yüzde yirmi."

"Nefis." Tikaani birkaç tane aldı. Onları soğukkanlılıkla inceledi ve onları ağzına tıkıştırdı. Yüzünü buruşturdu. "Yanında patates kızartması da var mı?"

"Başlarını ısırıp atarsan tatları daha iyi olur..."

"Şimdi mi söylüyorsun!"

Beck aniden bir elini yukarı kaldırdı. "Dinle," dedi. "Duydun mu?"

Tikaani kulaklarını açtı. "Yalnızca su," dedi. Aşağı taraflardan geliyordu, ağaçların arasından, kayaların üzerinden çağlayarak hızla akmakta olan suyun sesi.

Beck'in yüzü seviçle parladı. "Kesinlikle! Hâlâ aç mısın?"

"Ne? Bu lezzetli ziyafetten sonra mı?"

"Peki o zaman, daha iyi bir şeyler bulabilecek miyiz bakalım!"

Nehir, kayadan kayaya atlayarak ve küçük su birikintileri arasında zıplayarak neşeyle dağlardan aşağıya doğru iniyordu. Çocuklar karşıya geçtiklerinde geldi, nehir görev bilinciyle çakıllı geniş bir yatağa akmaktaydı. Taşlar ve kayalar köpüklü suyun altında hafifçe dalgalanıyorlardı. İki gün önce içinden yürüyerek geçtikleri nehirden daha sığ ve şükürler olsun ki, sakindi. Başlarından geçen çeşitli zorlukların yarattığı ölümcül telaşlar ile kıyaslanırsa, suyun akışının sakin bir telaşı vardı.

"Balık." dedi Beck.

"Değnek ve kanca?" Tikaani kuşkuyla sordu.

Beck gülümsedi. "Kim için lazım? Baksana." Nehrin, birkaç büyük kaya parçasının arasında akmakta olduğu kıyıyı işaret etti. Taşların arasındaki boşluklar, doğal küçük havuzlar oluşturuyordu. "Hadi içlerine yakalanmış balık var mı bir bakalım."

"Ben bu tarafa bakacağım." Havuzlarda hiç balık yoktu. Aslında bu duruma şaşırmamıştı. Nehir seviyesi düştüğü zaman, mesela yaz sıcağında, balıklar havuzlarda tıkılıp kalırlardı. Yılın bu zamanında ise erime suları tarafından nehir şişeceğinden dolayı su seviyesi sürekli yükselmeye devam edecekti.

"Evet. Sıradaki numaram için, bayanlar ve baylar, bir çift su şişesine ihtiyacımız olacak." Beck, sırt çantasının içini araştırdı ve iki yedek şişe çıkardı. Bir zamanlar içinde limonata vardı. Onları uçak enkazının orada boşaltmıştı (Sanki neredeyse bir ömür geçmişti üstünden). Şişeler silindir şeklinde, plastik ve şeffaftı. Tam da ihtiyacına uygun.

Tikaani'ye baktı. "Biraz kurtçuk, solucan ya da buna benzer bir şeyler var mı diye bakabilir misin?" diye sordu. "Bulunca buraya getir."

Üç gün önce, Tikaani boş bir bakış veya iğrenen bir tiksinti ifadesi ile ona karşılık verirdi.

Şimdi ise sadece omuzlarını silkti. "Hay hay."

Beck bıçağını kullanarak her şişeyi yarısından itibaren enine böldü. Ardından, kapağın bulunduğu taraftan dilimleyerek kesti. Bir balığın geçebileceği kadar büyük bir oluk ağzı oldu. Tikaani, nehir kıyısındaki toprağı kazmak için sivri uçlu bir kaya kullanmıştı ve bir süre sonra birkaç tane kıvrılmış solucan ile geri döndü.

"Mükemmel!"

KURT YOLU

Beck, şişelerin alt yarımlarının dibine solucanları bıraktı ve hemen sonrasında, üst yarımını ters çevirip ittirdi. Şimdi her şişe, iki katmanlı bir bardağa benziyordu ve solucanlar iki yarım arasındaki boşlukta kıvrılıyorlardı.

"Balıkların, bir parça solucandan başka daha çok sevdikleri bir şey düşünemiyorum." diye söyledi Tikaani'ye. "Şimdi sadece nereye doğru gittiklerine karar vermeliyiz... ve işte tam buranın üstünden geçiyorlar."

Nehirde geniş bir kavisle kıvrım yaptığı kayalara geri döndüler.

"Balıkları dıştaki çeperlere doğru çekmeliyiz." dedi Beck. Kıyıya en yakın kayanın üstüne atladı ve suyun geçtiği kanalları dikkatlice inceledi. Karar verdi. Evet, bu iş yapardı. Dizlerinin üstüne çöktü ve ilk şişe kapanını, açık ucu akıntıya karşı bakacak şekilde suyun içine daldırdı. Dondurucu su eline çarpıyordu fakat şişeyi bırakmadan önce tuzağın yerine yerleştiğinden emin oldu. Sonra, ikinci şişe kapanıyla da kayanın öbür tarafına geçerek aynı şeyi yaptı. Su kollarındaki sıcaklığı çekiyordu ve soğuk kemiklerini kemiriyordu. Daha fazla elini daldırmak zorunda olmayacağı için minnettardı.

"Ve şimdi bekleyelim..." dedi. "Olduğun yerde kal ve hareketsiz bekle. Bizi net olarak göremezler ama bir şeyler hareket ettiği zaman anlayabilirler..."

Havuzdaki suyun altında şekiller, kaygan ve zarifçe hareket ediyorlardı. Çakıl taşı yataklarının üstünden geçerek gölgelerden gölgelere doğru daldılar.

Beck kusursuz sayılabilecek derecede hareketsiz bekliyordu. "Güzel, şirin solucan..." Düşüncelerini telepatik olarak balıklara aktarmaya çalışıyordu. "Yum yum yum..."

"Bu ne kadar sürecek?" diye sordu Tikaani.

"Ne kadar aç olduklarına bağlı."

"Benim kadar aç olamazlar..."

Beck gülümsedi. "Eğer yemi yutmazlarsa, onları içine doğru sürmeyi deneyebiliriz. Geldiğimizi duyunca yoldan çekilmeye çalışacaklardır."

"Tekrar ıslanmaktan mı bahsediyorsun?"

"Kesinlikle, tam da bu yüzden bunu yapmak istemiyorum. Ya da onları gıdıklamayı deneyebilirim."

"Ha?" Tikaani afallamış baktı.

Beck sırıttı. Suyun içinde bilinç sahibi bir balık gibiydi, hareket etmemeye devam ediyordu. "Ellerin suyun içinde kıyıdan, nehre doğru uzanıyorsun.

Bunu çok ama çok yavaş yapacaksın... Böylelikle balık seni, öylece yüzen bir dal veya ot parçasıyla ayırt edemez. Elini balığın altından yavaşça kaydır..."

"Bu gıdıklamak sayılmaz, bu taciz!"

Beck kıkırdadı fakat suyun üstünden gözlerini hiç ayırmamıştı.

"Sonra ona hafifçe dokunarak kıyıya doğru sürüklersin. Ayrıca kıyıya doğru gittiğinden emin ol. İlk sefer denediğimde, balığı nehrin ortasına doğru yöneltmişim."

"Ardından balık tüm arkadaşlarına anlatmıştır; şu balık tacizcisi tuhaf adamın gittiği yerlerin yakınına gitmeyin çocuklar..."

"Kesinlikle..."

Beck yavaş yavaş ilerledi, hiçbir şekilde rahatsız etmek istemiyordu. Balık, tuzakların birinin içinde ses çıkarıyordu. Bu yöntemle balık tutmanın problemi, ne çeşit bir balık yakalayacağınızı seçememenizdir. Lakin bu durumda şanslıydılar; bir alabalık var gibi görünüyordu.

Yaklaşık on beş santimetre uzunluğunda, kahverengi ve benekli, sırtında büyük bir yüzgeç ve karnında birkaç küçük yüzgeç daha vardı.

Alabalık temkinliydi fakat sonrasında görünen o ki karar verdi, Aman ne olacak sanki! İçine doğru yüzdü. Üst yarısının huni şeklindeki şişenin içine doğru yüzdü, iki yarım arasında sıkışan solucana doğru yöneldi. Boşluğun arasında kıvrılıp solucanın üzerine aniden saldırdı ve onu birkaç lokmada mideye indirdi. Şimdi şişenin iki yarımının arasında bulunuyordu. Bu, onun minicik balık beynini karıştırdı. Şeffaf olduğundan ışığı görebiliyordu ancak dar bir alandaydı ve nasıl bir daha dışarı çıkacağını tam anlamıyla çözemiyordu.

Sonrasında artık çok geçti. Beck açık ucu eliyle kapatacak şekilde, tuzağı sudan çıkardı ve zafer kazanmışçasına yukarıya kaldırdı.

"Balığımız var!" Tikaani'ye uzattı ve o da temkinli bir şekilde aldı.

Alabalık tuzaktan dışarıya su sıçratıyor, yerinde duramıyordu. "Onu kıyıya götür ve şişeyi dik tut. Kaçmasına izin verme."

Tikaani güvenli bir mesafeye kadar nehirden uzaklaştığından emin olana kadar ilerledi. Hatta eğer elindeki tuzak yere düşse bile alabalık tekrar suya dönemezdi.

Şimdi Beck, ikinci kapanın içine yüzmesi için bir balık daha beklemek zorundaydı. Biraz daha uzun sürmüştü ancak en sonunda başka bir balık da tuzağı düşüp diğerinin içinde sıkıştı. Bunun hangi türden olduğunu bilmiyordu fakat sorun değildi. Kesinlikle yiyecekti.

İkinci kapan elinde Tikaani'nin beklediği yere doğru aylak aylak yürüyordu. Dostu heyecandan neredeyse titriyordu.

"Bu ne? Balığın cinsi ne?"

Beck omuz silkti. "Fikrim yok."

Tikaani boş gözlerle ona baktı. "Diyelim ki zehirli?" Aslında bir an önce balıkları çıkarıp ağzına tıkmak için sabırsızlanıyordu. Ancak doğal bir temkin duygusu ağır bastı.

"Olamaz, tatlı su balıkları yenilebilir."

"Bütün bunları yiyebileceğime inanıyorum!' dedi Tikaani. Kendisini ancak bir süre daha kontrol edebildi. 'Peki ne kadar sürer? Ateşi yakmak, sanırım"

"Ateş mi?" diye sordu Beck. "O da ne?"

Elini tuzaktan içeri doğru ittirdi ve balığın solungaçlarından yakaladı. Karşı çıkarak kıvrılmaktaydı, onu dışarıya çekti ve elindeki kapanı bıraktı. Böylece iki elini de kullanarak sıkıca tutabildi. Sonra sırtının yarısı boyunca omurgasını koparacak bir ısırık aldı. Balığın sıvıları ağzından fışkırıyordu. Taze, nemli ve kaygan et ağzında aşağı kayarak indi. Sırtındaki narin eti, kırılgan kılçıklarından ayıklamak için balığın arkasındaki çalışmasını sürdürdü. En sonunda büyük bir zafer duygusuyla yüzünü Tikaani'ye döndü.

Arkadaşı ona doğru bakarken yüzünde tanımlayamadığı bir ifade vardı... Korku mu? Hayranlık mı? Beck emin değildi.

Tikaani neredeyse gözle görülür bir çaba sarf ederek bir karara vardı. Kendi balığını kavradı ve tam olarak Beck'in yaptıklarını yaptı.

"Sadece arka kısmını ye." diye söyledi Beck. "Ayrıca kenarları da yiyebilirsin ancak aman dikkatli ol, bağırsaklarını ısırma. Bunu gerçekten istemezsin."

Tikaani belli belirsiz bir şeyler homurdandı. Ağzı tamamen çiğ balık ile doluydu.

Ardından, yemeklerini tamamen bitirene kadar geçen dakikalar boyunca başka bir şey konuşmadılar.

"Hm-mm!" diye haykırdı Tikaani. Çiğnenmiş cesedi elinde sallıyordu. "Suşinin gelebileceği son nokta. Bu kadar açıkabileceğimi hayatta tahmin edemezdim."

"Sorun şu ki," Beck balığın omurgasından son birkaç ısırık daha aldı. Dikkat isteyen bir işti ve odaklanmak gerekiyordu.

"ateş kullanırsan..." nihayet yiyecek daha fazla et kalmadı "tüm suyunu buharlaştırarak balığı kurutursun. Bu şekilde yiyerek, balığın yararlı olan kısımlarını tam olarak doğal yollarla alırsın. Sana güç verir, nem verir..."

"Seni hayatta tutar," diye onayladı Tikaani.

İçinde bir umutla tuzaklara baktı. "Başka var mı?"

Beck kahkaha attı. "Tabii, çok kolay. Çünkü eğer balıkların güzel, lezzetli bir solucandan daha çok sevdikleri bir şey varsa şayet; o da arkadaşlarının bağırsaklarıdır."

"Vay canına. Bir balığın düşmanı olmak istemezdim..."

Çocuklar, kalan balık parçalarını yem olarak tuzaklara koydular ve iki tane daha yakaladılar. Onları da aynı keyif ve enerji ile çiğ çiğ yediler. Ardından açlık duygularını tatmin etmiş ve içlerinde yeterince sıvı ile birlikte nehir boyunca ilerlemeye devam ettiler.

Beck nehrin karşısına geçmeyi düşünmüştü ancak sonra, bunun gerekli olmadığına karar verdi. Sonuncusunun aksine bu nehir yollarının üstünde değildi. Haritaya göre adı Kynak Nehri'ydi. Dağlardan aşağıya doğru birkaç kilometre daha inmeye devam ediyor sonra düz araziye karşı dolambaçlı bir biçimde kavisler çiziyordu.

Nehir, yaklaşık olarak onların gitmek istedikleri yöne doğru akıyordu ve Anakat'a çok yakın bir yerden denize dökülüyordu. Yön bulmak için neredeyse hata yapmayacak bir rehberdi.

Böylece çocuklar sonraki birkaç saat boyunca nehirle birlikte ilerlediler. Kynak Nehri hemen yanlarında taklalar atarken, onlar kayaların çıkıntılarına basarak ve kıyıdaki çakılların üstünde yürüyerek aşağıya doğru inmenin mücadelesini veriyorlardı. Beck bazen nehrin gruplarının üçüncü üyesiymiş gibi olduğunu hissediyordu. Su aceleyle aşağıya doğru koşuştururken bir yandan küçük kayalık havuzları tıpkı yaramaz bir çocuk gibi keşfediyordu.

"Hey, Beck." Tikaani aniden durdu ve çömeldi. Çalıların altında yeşil yapraklı ve kırmızı meyveli, toprağı kucaklayan bir bitki vardı. Neredeyse domates gibi ama daha küçük görünen, mükemmel küçük kürelerdi. "Bunlar olmaz mı?"

Beck sırıttı. Arkadaşı tam bir kâşife dönüşüyordu. "Tabii. Bu kırmızı yaban mersini ve yiyebiliriz. Aferin Tikaani."

Tikaani çoktan tıkınmaya başlamıştı. Her iki çocuğun da içindeki umut hiç bu kadar yükselmemişti. Onları besleyebilecek topraklara geri dönmüşlerdi.

Tikaani biraz daha yiyecek bulabilmek için çevreyi araştırırken, Beck nehri inceledi. En son yaklaşık dört yüz metre geride su hızla akıyordu. Şimdi ise düzleşmiş ve pürüzsüzce akmaktaydı.

Kontrol etmek için haritayı çıkardı. Nehir, daha yukarılardan itibaren kontur çizgilerinin oluşturduğu bir küme şeklindeydi. Bu işaretler nehir yüksekliğindeki ani değişimleri belirtiyordu. Yukarı taraflarda, çağlayan bir akıntı veya bir şelaleye rastlamadan yüz metreden fazla yol ilerleyemezdiniz. Ancak bunların hepsinin, onların gerisinde kalmış olduğu haritadan görünüyordu. Anlaşıldığı kadarıyla nehir buradan itibaren dümdüz devam etmeliydi. Zeminde yükseltiler ve çukurlar olabilirdi fakat nehrin gittiği yolda kendine küçük bir vadi açmıştı. Ayrıca suda yüzen odun parçaları nehrin kıyısına birikmişlerdi.

"Hey, Tikaani," diye seslendi. "Ayakların nasıl?"

Tikaani yanındaki Beck'e doğru baktı. Sonra deneme amaçlı, her defasında bir ayağını oynattı. "Biraz ağrıyorlar. En azından her ayağımın hâlâ beş parmağa sahip olduğunu söyleyebilirim. Niye ya?"

"Ah," dedi Beck, masumca. "Sanırım onlara biraz yardım edebilirim..." Tikaani sadece ona doğru bakıyordu.

"Bir sal yapacağız." dedi Beck. "Nehir de bizimle aynı yoldan gidiyor, öyleyse neden zor olan kısmı onun yapmasına izin vermiyoruz?"

"Peki..." Belki de Tikaani artık Beck'in planlarına alışmaya başlamıştı. Genelde hiç beklediği gibi olmamıştı ama şimdiye kadar işe yaramış görünüyordu. "Nasıl?"

Güzel bir soruydu. Beck hasretle geçen yıl Kolombiya'da arkadaşlarıyla birlikte yapmış oldukları salı özlemle hatırladı. Sanayi gücüne sahip, muntazam ve okyanus yolculuklarına uygun bir saldı. Adını Bella Senora koymuşlardı. Balza ağacı ve bambudan yapılmıştı. Sağlam ve denize açılabilir bir şeyler yapmak için ormanda ve barınakta bulunan bütün kaynakları kullanmışlardı.

Hayatlarını kurtarmış, bir köpek balığı saldırısından sağ çıkmış ve birkaç gün denizde dayanmıştı.

Bu sal onun kadar etkileyici olmayacaktı.

Ama yüzebilecekti ve ondan istediği tek şey de buydu.

"Pekala." Tikaani'ye ne araması gerektiğine dair talimatları verdi. "İki büyük parça oduna ihtiyacımız var – olabildiğince düz ve en az bu kalınlıkta olmalı." Ellerini yaklaşık yarım metre kadar açtı.

"Bıçakla bunlardan birini kesip ayırması çok uzun zaman alacak." dedi Tikaani, düşünceliydi.

"Buna gerek yok." Beck sahil boyunca dalgaların kıyıya taşıdığı odunlara doğru baktı. Nehir doğal çöpleri, akıntıyla birlikte sürüklemişti. Kaynak erime suları ile yükseliyordu fakat mevsimin sonlarına yaklaştıkça su daha yüksek seviyede olacaktı. Su seviyesi bir önceki kışa göre azaldığı için suda sürüklenen herhangi bir şey kıyıya oturur. "Hadi, elimizden geldiğince sürüklenmiş odunlardan toplamalıyız."

***

İstediği ağacı tarif etmesi, bulmaktan çok daha kolay olmuştu. Bir sürü sürüklenmiş odun parçası vardı. Ama çoğu, yeterince kalınlığa veya istenilen uzunluğa ya da her ikisine birden sahip değildi. Nehirden uzağa, ormana doğru aramayı genişletmek zorunda kaldılar. Beck acemice harcadıkları zamanın farkındaydı. Bunu eğlence olsun diye yapmaktan ziyade; Anakat'a ulaşıp Al Amca'yı kurtarmak için yapıyorlardı. Şu an bir sal yapmak için harcadıkları zaman, ilerideki zamandan tasarruf etmek içindi fakat bunun beklediğinden çok daha uzun sürdüğüne karar verirse, fikirden vazgeçip yürümeye devam edebilirlerdi.

Ancak aradıkları odunları sonunda bulabildiler. Yaklaşık aynı genişlikte ama farklı uzunluklarda, bir tanesi iki metreden uzun, diğeri ancak bir buçuk metre, iki parça odundu. Ağırdılar. Tikaani ve Beck her bir odunu birlikte kaldırarak nehrin kıyısına kadar tek tek taşımak zorunda kaldılar.

"Bunlar salın ana şamandıraları." diye açıkladı Beck.

İki ana dalı birbirlerine paralel ve aralarında yaklaşık bir metre olacak şekilde yere koydular. Sonra sürüklenmiş dalları sağdan başlayarak çaprazlamasına dizdiler. "Bu diğerleri sadece destek için ayrıca bir güverteyi sabit tutacaktır.

Ardından Beck, sırt çantasının en altına uzandı ve uçağın enkazından kurtarmış olduğu kablo yumağını gururla ortaya çıkardı. 'Bunun kullanışlı olacağını biliyordum!'

Odun parçalarını tahtadan bir çerçeve yapmak için birbirine bağlarken kabloları kullandı. Yaklaşık bir buçuk metre uzunluğunda ve bir metre genişliğindeydi.

"Peki güverte?" diye sordu Tikaani.

"Sende. Sırt çantandan brandayı çıkarsana..."

Brandayı çerçevenin üstüne gerdiler ve bir parça kablo kullanarak tahtaya bağladı. Sonunda bir adım geriye doğru atarak eserleriyle övündüler. Beck eleştirel bakarken, Tikaani'nin yüzü gururla parlıyordu. Kraliçe Marry suya inmeye hazırdı.

Beck'in düşüncesine göre belki bir Bella Senora değildi ama iş görecekti.

"Bir isme ihtiyacı var." dedi Tikaani.

"Sen seçsene."

"Peki" Arkadaşı düşündü. "Şey... hmm... şey... Alaska ile ilgili birşeyler. Deniz Aslanı? Şey..."

"Düşünmeye devam et" dedi Beck ve ağaçların içine geri döndü. Bir parçaya daha ihtiyaçları vardı ve bu şeyi daha önce görmüştü. Yön direği olarak kullanabilecekleri, ince ama sağlam, uzun bir dal. Salda, yelken veya dümen yoktu. Akıntı onları doğru yöne taşıyacaktı ancak bir şekilde salı yönlendirmek zorunda kalacaklardı. Altından uzanan bir tane yön direği olması lazımdı.

"'Katil Balina?'" Elinde direk ile döndüğü zaman Tikaani önerilerine devam etti. "Kutup Ayısı?"

"Igloo-Eskimo Evi?"

"Ha-hah..." Tikaani vazgeçmiyordu.

"İsimlerimizi birleştirebiliriz." "Bekaani?"

Beck sırıtarak, "Ya da... 'Ti-Kene' koyabiliriz." dedi.

"Hey, bu şimdiye kadar yaptığım ilk sal ve adını koymalıyız!"

"Pekâlâ, bu arada bana yardım etsene..."

Sal, kaldırmak için çok ağırdı. Bundan dolayı suyun içine itmek zorundaydılar. Beck şamandıraları nehre dik olacak şekilde ayarladı ve böylece tıpkı bir kızak görevi gördüler. O birini iterken, Tikaani de diğerini itti ve sal nehrin sığ yerinden suya çarptı. Çocuklar üstüne tırmanınca aniden ağırlıkları şamandıraları aşağıya doğru çekti. Sal sık sık alçalıp yükseliyordu fakat gerdikleri brandanın üstüne hemen hemen hiç su sıçramıyordu. Tikaani dizlerinin üstüne çöktü ve sıkıca tutundu. Sal nehrin ortasına doğru yavaş yavaş kaymaya başladığında kendini çok savunmasız hissetti. İçlerinden biri ne zaman hareket etse, bütün sal zangır zangır titriyordu.

Beck, bu düzensiz sallanmaları bekliyordu ve kendini biraz daha rahatlamış hissediyordu.

"Rahat mısın?" diye sordu.

"Evet, hemen hemen..."

"Tamam, sırt çantanı tahta çerçeveye bağla. Burada yeterince alan yok. Rahatlıkla birini suya düşürebiliriz."

"Haklısın." Tikaani, belki de sırt çantalarını buralara taşımak için harcanan zamanı ve çabayı düşünüyordu. "Ziyan olurlar..."

Beck yön direğini nehrin dibine doğru daldırdı ve bastırdı. Salın sallanması biraz kesilmişti ve akıntıyla birlikte hareket ediyorlardı.

Tikaani ikinci sırt çantasını da bağladıktan sonra rahatladı. "Salın adı için kuş cinsi nasıl olur? Alaska'da hiç albatroslardan gördün mü?" diye sordu. "Albatros havalı olabilir."

"Fakat albatrosların bu kıtaya hiç ayak basmadıklarını biliyorsun, değil mi?"

"Peki, bu olmaz..."

"Kıyı Çamur Çulluğu' nasıl?" diye sordu Beck, ciddi değildi. Bu kuşu okuduğu bir kitapta görmüştü ve ismi hafızasına kazınmıştı.

Tikaani kaşlarını kaldırarak alaycı bir ifade takındı. "Gerçekten bu işi ciddiye almıyorsun." Sonra birden yüzü aydınlandı. "Kar Tavuğu! Bu Alaska'nın yerel kuşu."

Beck gülümsedi. "Tamam, Alaska'ya olan saygımızı göstereceğiz."

Salın kenarına diz çöktü ve direği dönüş yönünün tam zıt tarafına doğru itti. Nehre doğru ilerlediler ve sal diğer yöne doğru dönmeye başladı. Şamandıraların farklı uzunluklarda olması salın hafifçe yana eğilmesine sebep oluyordu. Dengede durmaları biraz zor olacaktı.

"Kabul edildi." Tikaani eliyle yakınındaki kütüğün üstüne hafifçe vurdu. "Senin adını Kar Tavuğu koyuyorum."

Beck tekrar yön direğini hafifçe dürttü. Sanki topa yer ile temas etmeden önce vuruyor gibiydi. Sala bir itme sağlıyor ve sonrasında direği dümen olarak kullanıyordu. Ancak yolun büyük bir kısmını da akıntı hallediyordu. Salın kendi dengesini bulmasına izin veriyordu. Direği, ana akıntıdan ayrılmamak için kullanıyor ama bunu yaparken de onu zorlamıyordu.

Aksi hâlde denize varana kadar bütün yolu çevrelerinde dönerek tamamlayacaklardı.

İki oğlan ve Kar Tavuğu'yla beraber Kynak'tan aşağıya, Anakat'a doğru sürükleniyorlardı.

Beck, doğru fikri bulmuş olduklarına karar verdi. Bir gözü sürekli kıyı şeridindeydi. Yürüme hızından daha süratli ilerliyorlardı. Hatta Kar Tavuğu'nu yapma sürelerini de göz önüne alırsak, yakında çok daha ileride olacaklardı.

Tamamen yumuşak bir yolculuk olmuyordu. Sal normalde bir teknenin hiç olmayacağı kadar çok sallanıyordu. Ara sıra bir dalga veya bir dalgacık güverteye su sıçratıyor ya da brandanın alt tarafına çarparak geçiyordu.

Ne var ki güneş bir yandan parlıyordu ve sıcaklığı güverteden geri yansıyordu. Suyun hafifçe çarpması teskin eden bir huzur verdi. Tikaani bağdaşını çözdü ve dikkatlice brandanın üstüne uzandı. Beck arkadaşının gözlerini kapandığını görünce şaşırmadı.

Uykuya daldığı açıkça belli oluyordu. Her ikisi de son üç günlük gezileri sırasında yıpranmıştı. Yola devam etmelerini sağlayan tek şey devam ediyor olmalarıydı. Eğer bir kere dururlarsa, uyku çok geçmeden galip gelirdi.

Aslında Beck gözlerinin ağırlaştığını hissedebiliyordu. Direği ara sıra hafifçe dürtmek çok fazla enerjisini almıyordu. Gözlerini açık tutmak için kaşlarını havaya kaldırmak zorunda kaldı.

"Tamam," diye mırıldandı. Elini nehre daldırdı ve yüzüne soğuk su çarptı. "Uyanık kal. Aklını işine ver." İşe yaramış görünüyordu. Zihni tazelenmişti, daha az bulanıktı. Ama gözüne kum kaçmış gibi hissetti. Temizlemek için gözlerini kırptı. Hâlâ kumluydu. Gözlerini sıkıştırdı...

Bütün sal aniden sallandı ve ilk şokun etkisi Beck'in vücudundan geçti. Uykuya dalmadan önce bazı zamanlar yaşadığı bir çeşit kas kasılmasına benziyordu.

Bu demekti ki uyuya kalmıştı. Vay canına! Düşünüyordu. Çevresine baktı. Kar tavuğu tekrar dönüyordu. Beck, birkaç metre hızla geçmekte olan kıyıyla karşı karşıyaydı. Hâlâ nehrin ortasında bulunuyorlardı. Doğada farklı herhangi bir değişiklik yoktu. Ne kadar süredir uykuya dalmış olduğunu kestiremiyordu. Çok fazla zaman geçmiş olamazdı çünkü hâlâ dizlerinin üstünde duruyordu ve direk henüz elindeydi.

"Pekala. Hadi uyan, Beck Granger." İlk yapılması gereken şey, Kar Tavuğu'nu tekrar düz hâle getirmek. Nehrin zeminine karşı direğe bir itme gücü uyguladı.

Başka bir sarsıntı bütün salın içinden geçti. Beck şu an tamamen uyanıktı. Bu sefer dalga ile birlikte gelen soğuk su Tikaani'nin üstüne sıçradı, cıyaklayarak uyandı.

"Hey, bu hiç de komik değil!"

"Hayır, değil." dedi Beck, sertçe. Başıyla ileriyi gösterdi.

Nehir artık düz değildi. İnişler-çıkışlar ve dalgalar ile dengesizdi. Kar Tavuğu az önce içlerinden birine çarpmıştı.

Ayrıca ilerilerinde duran beyaz köpük, sudan yukarıya doğru çıkıntı yapan kayalıkların arasından pörtlüyordu.

Sal, doğruca suyun hızla aktığı kayalıklara doğru ilerledi.

BÖLÜM 13

Beck yön direğini suyun içine doğru zorladı ve tüm gücünü kullanarak yukarıya kaldırdı. Onları kıyıya ulaştırmak için muhtemelen bir dakikadan daha az süresi vardı. Tikaani dizlerinin üstüne çökmüş, iniş-çıkışlara bakıyordu. Beck'e, araba farı tutulmuş tavşanları hatırlattı.

Sal kıyı boyunca sürükleniyordu fakat bir yandan da iniş-çıkışlar yüzünden hız kazanıyordu. Beck küfür etti ve tekrar direğe asıldı, ardından tekrar. Kıyı yaklaştıkça, umut verip kıvrandırıyordu...

Direk nehrin dibindeki bir şeye o kadar hızlı vurdu ki, neredeyse Beck'in elinden fırlayacaktı. Kar Tavuğu yaklaşık otuz santimetre kadar sola kaydı ve birkaç metre kadar aşağı doğru akıntı yönünde ileriye zıpladı.

Akıntıya kapıldıklarını fark ettiğinde, Beck'in kalbine bir ağırlık çöktü. Yön verebiliyordu fakat itemiyordu. Akıntı aşırı güçlüydü. Onları hareketli bir güzergâha doğru sürüklüyordu.

"Çok üzgünüm. Bizi zamanında kenara ulaştıramayacağım. İnişli-çıkışlı bir yoldan geçeceğiz."

Tikaani ona baktı, haklı bir korkuyla gözleri kocaman açılmıştı. Kar Tavuğu tekrar daldı ve üstlerine biraz daha su sıçradı.

"TAMAM." dedi. Arkadaşı cesaretini toplamıştı. "Ne yapabilirim?"

"Sıkı tutun!" dedi Beck.

Tikaani kafasını sallayarak onayladı, salı sıkıca kavradı ve tekrar ileriye doğru baktı. Karşılarındaki iniş-çıkışlar acımasızdı. Sal, akıntının içinde zıplayarak ilerliyordu ve kayalar neredeyse artık tam olarak karşılarındaydı. Beck inişin ileriye dil gibi uzanan çıkıntısına tutunmak istedi. Beck, suyun en çok aktığı yer olan inişlerdeki dillerden ayrılmamak istedi. Ayrıca, bu sayede kayaların etraflarından dolaşarak, dönerek girdaplar oluşturan çukurlardan uzak duracaktılar. Derin bir nefes alarak gitmek istediği yere odaklandı ve Kar Tavuğu iki kayalığın arasında kalan düz bir su rampasına çarptı ve beyaz öfke ile köpüren bir havuzun içine düştüler.

Güvertenin üzerinden su akıyordu. Eğer sırt çantaları bağlanmamış olsaydı, hemencecik suya kapılıp gitmişlerdi. Sal suyun yüzeyine çıkarken tıpkı gökyüzüne yükselen bir denizaltına benziyordu. Her iki çocuk da nefes nefeseydi. Yüzlerinden aşağı akan soğuk su, çivi gibi hissettiriyordu.

Altlarındaki sal, azgın bir boğa gibi inip kalkarak onları sırtından atmaya çalışıyordu. Beck gözlerindeki suyu sildi ve çevreye baktı. Kayalıklar tarafından çevreleri sarılıydı ve gözle görünen herhangi bir çıkış yolu yoktu.

Ama su nereden gideceğini biliyordu ve bu seferlik, Kar Tavuğu'nu da beraberinde götürdü.

"Şu ikisinin ortasına doğru gidiyoruz!" diye bağırdı Tikaani. Saldan biraz daha geniş görünen bir aralığı işaret etti.

Beck, suyun sola doğru eğim yaptığını görebiliyordu.

Sağ tarafa tutunma zamanıydı!

Beck'in rehberliği altındaki sal kıvrıldı. Şamandıralardan biri sağdaki kayaya çarptı ve tüm yapı sarsıldı. Beck irkildi. Eğer sağlam kayalık bir yığına toslayacaksa, bu şekilde olmasını, kırılgan insan bedenine tercih ederdi. Kar Tavuğu onları bir arada tutmuştu. Elinden geldiğince sağlam yapmıştı salı ama bu çeşit bir muameleyle karşılanacakları aklında yoktu.

Sal düştüğü sırada çevresinde döndü ve Beck'in olduğu taraftan, geri geri giderek diğer havuzun içine düştüler. Dik bir düşüştü. Beck'e kılavuzluk eden kıyı aniden daha aşağı inerek alçalmaya devam ediyordu. Beck yukarı baktı ve salın geri kalan kısmının tepesinde yükseldiğini gördü. Tonlarca su hayatına son vermek için onu tehdit ederken, Tikaani can havli ile tutunuyordu. Alabora olmaya yaklaşık iki saniye uzaktaydılar.

"Sıkı tutun!" diye bağırdı Beck.

Yön direğini bıraktı ve Tikaani'nin yanına tırmandı. Onun ilave ağırlığı, salın üst kısmını tekrar aşağıya doğru itmelerine yardım etti. Sağlam bir dalga, iki çocuğu da baştan aşağıya yıkadı fakat Kar Tavuğu olması gereken yolda kaldı.

Direk, hemen yanlarındaki köpüklü suyun içinde bataçıka yüzüyordu. Beck direği kavradı ve içeri geri çekti. Sal tekrar dönüyordu. Hangi yolun ön, hangisinin geldikleri yol olduğunu söylemenin herhangi bir yolu yoktu. Beck'in tüm yapabildiği şey yollarına çıkan kayaları savuşturmaktı.

"Bence... Sanırım bitti..." dedi Tikaani, soluk soluğaydı. Beck önlerindeki yola bir göz attı. Arkadaşı haklıydı.

Su hâlâ dalgalıydı ama en kötü düşüşleri atlatmış gibi görünüyorlardı. Kayalıklar ve iri taşlar hâlâ yollarının üstüne seriliydi ancak takip ettikleri rota temizdi. Sal sanki altlarından kaçmaya hevesli gibi kayaların arasındaki boşluklara vura vura ilerliyordu. Beck tekrar dümene geçti. Su seviyesinin en derin gözüktüğü yerden ilerlemeye devam ettiler ve en son kalan birkaç çukuru da atlatarak suyun çağlama sesini gerilerinde bıraktılar. Titriyorlardı ve sırılsıklam olmuşlardı fakat güvendeydiler.

Tikaani bir zafer çığlığı attı. Beck de ona katıldı, onun kadar şevkle olmasa da. Kayalara çarptıkları zaman altlarındaki salın yerinden oynadığını hissetmişti. En yakınındaki düğüme bakmak için brandayı bir köşesinden yukarı kaldırdı. Olması gerekenden daha gevşekti. Salın bütün iskeleti yerinden oynamıştı.

"Kıyıya doğru gitmeliyiz." dedi. "Kurulanmamız lazım..."

Direkle itiyordu ancak su hâlâ çok hızlı akmaktaydı. Tıpkı inişlerden öncesi gibiydi. Salı yan yan yönlendirebilirdi ama akıntının hızı her defasında yaptığı işi bozuyordu. Pekâlâ, o kadar da önemli değildi. Akıntının hızı aşağılarda bitecek ve biraz ilerledikten sonra tekrar düzgünce yön verebilecekti.

"Of Beck!"

Beck, Tikaani konuşurken ses tonun yükselme şeklinden hiç hoşlanmamıştı. İnişler sırasında suyun çıkarttığı gürültü, şu ana kadar giderek azalmıştı, fakat şimdi tekrardan artmaya başlıyordu. Üstelik geri de dönemezdiler. Arkalarında bıraktıkları inişleri tekrar tırmanamayacaklarına göre bunun tek bir anlamı vardı...

Çöken hisleriyle birlikte Beck, Tikaani'nin görmekte olduğu şeyin ne olduğunu öğrenmek için kafasını çevirdi.

Bir kalp atışı süresince onun yanılmış olabileceğini düşündü; ortalıkta hiç iniş yoktu, herhangi bir kaya ya da suda kırılma göremedi.

Sonrasında gerçek ortaya çıkmaya başladı. Önlerinde herhangi bir engebe olmamasının nedeni nehir öylece aşağı düşüyordu. Doğruca bir şelaleye doğru ilerliyorlardı.

Beck'in beyninde, çeşitli seçenekler yıldırım hızıyla çaktı. Hemen tekneden atlayarak kıyıya yüzebilirlerdi. Hayır, olmazdı. Muhtemelen suyun hareket hızı, şelaleye kadar her halükârda onları süpürmüş olurdu. Salda kalabilirlerdi ve düştüklerinde oluşacak baskının en şiddetli kısmını, salın çekmesi için umut edeceklerdi. Hayır ama yere indikleri zaman salın üstte, onların ise altta olması mümkündü. Basitçe söylemek gerekirse, şelalenin dibindeki kayalıkların üzerinde ezilerek ölmüş olacaklardı.

Hepsi bu kadardı. Daha fazla fikir yoktu. Yani her şey imkânsız olduğu için, Beck en az imkânsız olana karar vererek hemen harekete geçmek zorundaydı.

Kar Tavuğu'nu tekrar kıyıya doğru itmeye başladı. Belki de ölüme sürüklenmeden önce, atlayıp yüzmek için yeterince yakın olabilirlerdi.

Ya da...

İçinde bir umut ışığı yandı. Sol taraftaki kıyıda, nehrin kenarına doğru sarkan düşmüş bir ağaç vardı. Dalları aşağıya doğru yıkılmıştı ve neredeyse suyu tırmalıyordu. Yakın bir zaman önce düşmüş olmalıydı.

Kış boyunca çürümek için fırsatı olmamıştı. Kurtuluşları buna bağlı olabilirdi.

"Şuna doğru ilerliyorum." diye Tikaani'ye haber verdi. "Altına girip dalları tutacağız." dedi.

Tikaani çoktan ağacı fark etmişti ve dinç bir şekilde başıyla onayladı. "Anlaşıldı, tamam!"

"Sırt çantalarını çöz ve kucağına al..."

Hazır olmaları için ancak bir dakikaları vardı. Tikaani bizzat kendi atmış olduğu düğümleri eşeledi, neyse ki sonunda sırt çantaları serbest kalmıştı. Kendine doğru çekti ve salın ön tarafında dizlerinin üstüne çöktü, hazır ve özgüvenliydi. Beck salın tamamen hizalandığından emin olmak için biraz daha zaman harcadı. Aynı anda hem tırmanıp hem de sala yön veremezdi. Su aniden onları bir tarafa savurmadan doğruca ağaçların altına taşımak zorundaydı.

En son ana kadar bekledi ve yön direğini elinden bıraktı. Ardından kendi sırt çantasını omzunun üstüne attı. Artık dalların altındaydılar.

Tikaani en yakınındaki dala sıçradı. Ağırlığı altındaki bütün ağacın aşağıya doğru sarktığı görünüyordu. Telaş içinde bağırdı. Sal geçerken ayakları güvertenin üzerinde sürükleniyordu. Beck ileriye doğru atıldı ve arkadaşının belinden tutarak onu yukarıya kaldırdı. Islak yapraklar sanki onu tekrar nehre dönmesi için zorluyormuş gibi yüzüne sürtündüler. Tikaani yüksek bir dalı kavradı ve kendine doğru çekti. Beck, Tikaani'nin dizlerinden bir tanesini iterek çocuğu dalların üstüne atmayı başardı. Böylece Tikaani salın dışında, dalların üstünde düz bir şekilde uzanabiliyordu.

Ancak Kar Tavuğu ağacın altından geçerek ilerlemeye başlamıştı. Beck kendine bir dal bulabilmek için salın arkasına doğru güçlükle tırmanmak zorunda kaldı. İstediği türden sadece bir tane dal görebiliyordu. Tikaani'nin hemen yanındaki dal, ağırlığını kaldırabilecek kadar güçlü görünüyordu. Onun için zıpladı...

Omuzuna bir ağrı saplandı. Yaprakların arasında göremediği küçük bir dal, onu durdurup geri itmişti.

Altında yuvarlanmakta olan salın üstüne geri düştü.

"Beck!" Tikaani bağırdı.

Beck, kollarını açarak ayaklarının üstünde dengede durmaya çabalıyordu. Usanmıştı. Dalın artık ulaşabileceği mesafenin dışında olduğunu fark etti. Atlamayı denemedi bile.

Salı dengelemek için tekrar dizlerinin üstüne çöktü. Gözleri Tikaani'yle buluştu ve sadece umutsuzluk gördü. Sonrasında sal nehirden aşağıya doğru sürüklendi. Beck hâlâ saldaydı, Tikaani kendi dalının üstünde güvende ama çaresizdi. Beck şelale ile yüzleşmek için arkadaşına sırtını döndü.

BÖLÜM 14

Önceki seçeneklerin hepsi Beck'in aklından tekrar tekrar geçiyordu. Ancak tek bir seçeneği olduğunun farkındaydı. Mutlak önceliği şelaleden düşmemekti. Üstelik Kar Tavuğu'nu tam olarak durdurmanın imkânı yoktu. Salın dışındayken şansı daha yüksek olacaktı.

Sırt çantasından kurtuldu ve nehre atladı. Çanta onu sadece geriye çekecekti. Suya girdiğinde elleri başının üstünde ve ayakları bitişikti. Bir olimpik yüzücününki kadar temiz bir dalış oldu. Yüzeye tekrar çıktığında yaşamak için yüzüyordu.

Beck okuldayken her zaman kulaç atmada iyi olmuştu.

Fakat daha önce, hiçbir yarışı kazanmaya bu kadar çok ihtiyacı olmamıştı. Vücudu belli bir tempo içinde öne sıçrıyordu. Sol kolun sudan dışarıya her yükseldiğinde nefes almalısın. Suya tekrar çarptığı zaman ise yüzünü suyun yüzeyine gömersin. Bu sırada, tekrar nefes verin böylece sen suda ilerlerken vücudunun aerodinamik yapısı tıpkı bir denizaltı pruvası gibi olmalı. Sağ kolunu da aynı şekilde yukarı ve aşağıya kaldır. Sonrası tekrar sol kol gelecek ve döngü kendini böylece tekrarlayacak. Kulaç-kulaç-nefes-kulaç-kulaç-nefes...

Ne var ki Beck, suyun içine girdiği anda nehrin kendisini çektiğini hissetmişti. Vücudundaki her hücre sanki şelaleden baş aşağı düşmek istiyordu. Akıntı yönünde kıyıya doğru olduğundan çok daha fazla mesafe aldığını biliyordu. Yüzünden akan sulardan dolayı göremiyordu ama bunu etmedi. Ayaklarını çırptı ama ağırlaşmış botları ona engel oldu.

İleri doğru gitmesi için tüm sahip olduğu şey kollarındaki güçtü.

Sonra gelen bir dalga onu altına aldı; tamamen batmıştı ve bu sefer yaklaşan hiçbir şey yoktu. Yeni bir akıntı ona el koydu. Yüzeyin altında gizlenmiş onun için bekliyordu. Üstelik yukarıdaki akıntıdan iki kat daha güçlüydü. Vücudu bükülüp eğilirken, onu uzağa doğru fırlattığını hissetti. Yeniden kafasını gökyüzüne çıkartmak için uğraşıyordu. Su kulaklarında kükremeye başladı. Ayrıca hangi tarafın aşağı veya yukarı olduğuna dair hiçbir fikri yoktu. Kabarcıklar daima yukarı çıktığı için bu yöntemle yukarı tarafın neresi olduğunu her zaman bilirsin ama bu durumun gerçekleşmesi için kabarcıkları görebiliyor olmasına lazımdı. Beck'in tüm görebildiği karışık tonlardaki ışık huzmeleri ve gölgelerdi. Ayrıca ciğerlerindeki paha biçilmez havayı boşa harcamayı gerçekten istemiyordu.

Bir şey ona çarptı ve acı içinde haykırdı.

Bağrışı kulaklarında uğuldadı. Sahip olduğu havanın yarısı gitmişti. Beck bunun ancak bir kayalık olabileceğini biliyordu. Kayalıklar sabit olur ve akıntı tarafından sürüklenmezler. Güçlükle üstüne tutunmaya çalıştı ama su onu çoktan çekip uzaklaştırmıştı bile. Daha fazla kayalığın çevresinden sıyırıp geçtiğini hissetti. Birdenbire dışarıdaki havaya tekrar çıktı, öksürürken ağzından su püskürtüyordu.

Akıntı hâlâ güçlüydü ve hâlâ sürükleniyordu. Kayaya tutunuyor olmasına rağmen gemilerin ilerlerken yaptığı gibi burun dalgası oluşturuyordu. Şelalenin uğultusu insanı sağır edebilirdi ki sadece birkaç metre uzağındaydı. Peki neden aşağıya sürüklenmemişti? O an fark etti ki; nehrin kenarındaki yarım daire şeklinde iri taşların arasında sıkışmıştı. Şelalenin sağ kıyısındaydı.

Su, küçük bir havuzun içine doğru girdap yaparak akıyordu ve bu akıntı sayesinde buraya sürüklenmişti.

Eğer yeterince dikkatli olmazsa buradan da tekrar sürüklenebilirdi. Kaygan kayayı tutuşunu düzeltmeye çalışırken neredeyse bütün kayayı kaybetti. Uups! Suyun içinde yeterince uzun hareketsiz kaldı ve Beck, hiçbir yere gitmediğini fark etti. Tüm dileği artık dışarıya tırmanabilmekti.

Kayaya sarılırken yukarıya doğru bir göz attı. Buradaki küçük oluk, şelaleyi ikiye bölmüştü. Nehrin kıyısı birkaç metre yukarısında kalıyordu. Fena değildi. Eğer oraya ulaşabilirse, bu yüksekliğe tırmanabilirdi.

Ayakları ile duvarı eşelerken, kayaya tutundu ve kollarını kullanarak kendini yukarı doğru çekti. Fakat, botları bunun için alınmamıştı. Keskin kenarlar karşısında ayaklarının acıdığını hissetti. Tekrar ve tekrar denedi. Akıntı, neredeyse onu süpürecekti.

Beck kayanın yanına yaslandı ve bir süre sakince soluklandı. Bunu başarabilirdi.

Nehrin soğukluğu hipotermiye yol açmadan veya gücünün bitmesiyle şelalenin dibine sürüklenip parçalara ayrılmadan önce bunu yapabilirdi... Sadece nasıl yapabileceği hakkında çözüm üretmeliydi...

"Hey! Beck!" tanıdık bir sesti. Aynı anda kafasına sert bir cisim çarptı. "Ah!Pardon!"

Beck çevresine baktı ve neredeyse gözü dışarıya çıkacaktı. Bir dal parçası tam yüzünün yanında dalgalanıyordu. Dalın diğer ucuna doğru baktı.

Tikaani, nehrin kenarında güvenle gidebileceği yere kadar gelmiş ve ona doğru eğilip elindeki dalı Beck'e uzatmıştı.

"Tutsan iyi edersin." dedi Tikaani. Panikle sesi yükseldi, "çünkü burada ne kadar süre dayanabileceğimi bilmiyorum..."

Beck dalı yakaladı.

BÖLÜM 15

Kynak kavga etmeden vazgeçmedi. Beck kayalıklardan ayrıldığı an akıntı iki kat daha güçlü çekti. Onu, güvenli küçük havuzdan uzaklaştırarak şelaleden aşağıya atmaya niyetliydi. Ancak Beck, ellerini ve kollarını dalın etrafına doladı ve Tikaani de küçük havuzun karşısındaki kıyıya doğru çekti. Sonunda Beck kendi gücünü kullanarak sudan dışarıya tırmanabilirdi. Vücudundaki nehrin baskısı, bedeninden aşağıya doğru kayıp gitti. Göğüs, bel, dizler ve sonunda tamamen gitmesine izin verdi. Bugüne kadar yaşamış olduğu en iyi hislerden biriydi.

Beck ellerini ve ayaklarını kullanarak güçlükle kıyıya tırmandı ve yanında duran Tikaani'nin önüne yığıldı.

"Sağol." Nefes nefeseydi. Gücünü toplayana kadar gözlerini kapatarak bekledi. Eğer dondurucu suda ıslanmış olmasaydı, şu an hoş bir sıcaklık hâkim gelecekti. Zemin kuruydu. Güneş parlıyordu ve Tikaani doğal bir rüzgâr kırandı. Ancak Beck titriyordu.

"Kusura bakma." Aniden oturdu. "Soyunup kurunmak zorundayım."

"Hey, bence yeterince adil." dedi Tikaani. Yüzünde biraz sinsi bir sırıtışla omuzlarını silkti. Belki karın üstünde düşmüş olduğu zamanı hatırlıyordu. "Bakalım kuru bir şeyimiz kaldı mı?"

Böylece Tikaani, çantasının altını üstüne getirirken Beck de olduğu noktada koştu, şınav çekti ve zıpladı. Neredeyse tüm kıyafetler nemliydi fakat Beck kadar sırılsıklam değillerdi. Tamamen suyun altına batmamışlardı. Tikaani ile aynı durumdaydılar. Saçları ve pantolonundan su damlıyor olmasına rağmen aşağıya doğru inişler başlamadan önce su geçirmez bir kaban giymişti ve gövde kısmı çoğunlukla kuru ve sıcak kalmıştı.

Tikaani pantolonunu ve çoraplarını değiştirdi. Beck için en az ıslak olan kıyafetleri seçti. Islak kıyafetlerini elinden geldiğince güçlü sıktı ve Beck tekrar giyinirken şelalenin kenarına gidip ayakta bekledi. Beck şimdi içinde sıcak bir parıltı hissedebiliyordu. Kıyafetlerinin biraz ıslak olması o kadar da önemli değildi. Rüzgâr onları üşütecek kadar kuvvetli değildi. Eğer yeniden yürümeye başlayabilirlerse, vücutları kıyafetlerini düzgün şekilde kurutacak kadar sıcaklık üretecekti.

Bu aklından geçen tek iyi havadis olabilirdi. Beck düşünürken yüzü ekşimişti. Neredeyse, onların ölümlerine sebep olacaktı. Brandayı tekne ile birlikte kaybetmişlerdi. Çantalarını kaybetmişlerdi. İçinde harita, kendi su şişesi ve kıyafetlerinin yarısı...

"Hey, Beck!" Tikaani ona doğru yürüyordu.

Parmağıyla şelalenin arka tarafını işaret etti. "Pujortok!"

"Bunun bir Anak kelimesi olduğunu varsayıyorum, 'Ölümün ucundan döndük mü diyecektin? Eğer öyleyse, haklısın..." diye söylendi Beck.

"Hayır." Tikaani tuhaf bir şekilde neşeli görünüyordu. "Bu bir Anak kelimesi ama anlamı 'Duman tüten' demek ve aynı zamanda bu şelaleye taktığımız isim. Daha önce burada bulunmuştum."

Beck gözlerini kırpıştırdı. "Ciddi misin?"

"Sadece aşağıdaki vadide bulunmuştuk. Burada yüksekte olduğumuzdan dolayı bir süredir fark edememişim. Babam beni doğa yürüyüşüne çıkarırdı..."

Sanki birden Tikaani uzaylı lisanıyla konuşuyor gibi gelmişti. Beck kelimeleri duymuştu ama beyni anlamlandırmak için onları işleyemiyordu. "Sen ve doğa yürüyüşü mü?"

"Tabi ya." Tikaani omuzlarını kaldırdı. "Yani anlayacağın, çadırda kaldık ve konserve yemekler yedik. Üstelik uyku tulumlarımız da vardı. Bir kere bile soğuk veya açlık hissetmedik... Ayrıca buradan bir kamyonla geri döndüğümüzden bahsetmiş miydim?

Yine de teknik olarak doğa yürüyüşünde olduğumu söyleyebiliriz. Bu arada günbatımına kadar Anakat'ta olacağımızdan gayet eminim."

Pujortok yirmi metrelik dik bir uçurumla aşağıya düştü. Keskin düşüş yüzünden nehirden biraz uzaklaşmak zorundaydılar. Aşağıya buradan inebilmelerinin pek ihtimali yoktu.

Kıyıdan manzarayı görünce, Beck şelalenin bu adı nasıl aldığını anlamıştı. Düşen sular, ışıldayarak püskürürken su buharı çıkarıyor ve hafif bir esinti içinde havaya karışıyordu. Duman, köknar ağaçlarının tepesinden yavaşça geçerken sanki dallardan duman çıkıyor gibi gözüküyordu. Zeminden püsküren suların tepesinde oluşan bir gökkuşağı yay çizerek, aldığı eğim ile gitmeleri gereken yolu işaret etti.

Uçurumun dibine vardıklarında, Beck'in ruh hali tepede oldukları zamandan çok daha iyi durumdaydı. Şelalenin dibindeki eğimde asılı duran bugüne kadar görmüş oldukları en geniş yaban mersini koleksiyonuna sahip çalıyı bulduklarında Beck'in sağlam mizah anlayışı tamamen geri gelmişti.

Dolu mideler, sıcak vücutlar ve hafiflemiş kalpler ile birlikte Kynak Nehri'nin alt kademelerine doğru yola koyuldular.

Tikaani konuşkan bir ruh halindeydi. Beck, sohbet etmesinden mutluydu. O da en az arkadaşı kadar iyimser hissediyordu ama nehre batması fark etmiş olduğundan çok daha fazlasını ondan almıştı. Arkasındaki Kynak'a göz ucuyla bir bakış attı. Pujortok şelalesi geride kaldığından dolayı nehir şu an çok sakin ve barışçıl görünüyordu. Acele kararlar alıp nehre tekrar güvenmeyecekti.

Bu sırada Tikaani konuşmaya devam etti.

"Büyükbabam der ki; küçük bir çocuğun hayatındaki en büyük anlardan biri, ilk kez avlanmaya çıktığı zamandır. Köydeki çocuklar birkaç günlüğüne buralara getirilirdi..."

Son birkaç gündür başından geçen olayların da dürtmesi ile Tikaani'nin gömülü Anak hatıralarının yüzeye çıkmakta olduğu anlaşılıyordu. Çoğu büyükbabası tarafından iletilen anılardı.

"Bazı askerler eğitim için buraya gelmişlerdi.

Büyükbabam gece boyunca sağa sola tuzaklar kurdu ve sabah olunca birkaç tavşan yakaladı. Onları soyup tütsüledikten sonra askerlere vermeye çalışmış. Fakat büyükbabam eti çıplak elleriyle tuttuğu için askerler yemeye yanaşmamış... Hey!" Tikaani durdu ve etrafına baktı. Arkadaki dağlara doğru baktı ve çevrelerini saran nehir, bir kenarı az daha yüksek zemin... Zihinsel bir zorluk yaşıyormuş gibi görünüyordu.

"Neredeyse, daha önce kamp yapmış olduğum alanda bulunuyoruz. Orada dinlenebiliriz."

Beck yorgun bir şekilde başıyla onayladı. Mola iyi olurdu. Anakat'a doğru son bir güçle ilerlemeden önce sadece kısa bir mola.

Kamp alanı uzak değildi. Beck'in kendini üstüne atıp uyumak istediği yumuşak çam iğneleri boyunca elli metre ilerideydi.

Güneş aşağıları aydınlatacak kadar yüksekte bulunuyordu ve köknar ağaçları çevredeki bütün rüzgârı dışarıda tutuyordu. Her yönden muhteşemdi.

Rov-rrr-or!

Beck'in kanı dondu. Eğer aklındaki şeyse...

"Ayy!" Tikaani kahkaha patlattı. "Çok şirinler!"

Bir çift ayı yavrusu çalının arkasından yuvarlanıp yere düştü. Kürkleri kahverengi ve yumuşaktı, bunun için özel olarak şampuanlanmış olabilecek kadar iyiydiler. Beck kahverengi kürkün onları boz ayı yaptığını çaresizce düşündü. Her birinin tepesinde komik bir şekilde asılı bir çift kulak olan yüzleri, yuvarlak ve arkadaş canlısıydı. Çam iğnelerinin üstünde taklalar atarak neşeyle birbirlerini itekleyip güreştiler.

Beck kendine kızdı. En önemli kurallardan birini unutmuştu. Düzgün bir şekilde düşünebilmek için aşırı yorgundu. Ayrıca Anakat'a yakın olduklarını varsayarak bir güvenlik yanılgısı içine düşmüştü.

İlk kural: Ayılara dikkat et!

"Ayıları biliyorsun! Buradan hemen şimdi çıkıyoruz!"

"İyi, peki ama... o kadar da vahşi değiller!" diye çıkıştı Tikaani.

O an büyük, ağır ve kızgın bir şey arkalarındaki çalıların içinden haykırdı. Çocuklar isteksizce etrafa bakındılar.

"Onlar değiller." diye onayladı Beck. "Fakat anneleri..."

Yavruların tüyleri parlak ve güzeldi; ama anne boz ayınınkiler kahverengi gümüşle kaplanmıştı. Yavrular yumuşak ve sevimli gözüküyordu; ama anne koşarken kasları tıpkı çelik bir kablo gibi gergindi. Yavrular sadece oynuyordu; ama anne, çocukları ve kendisi arasında duran bu iki memelinin cesaretinden dolayı cidden çok sinirlenmişti.

Ayı yavruları büyük bir köpek boyutlarındaydı.

Anne ayı arka bacaklarının üstünde yükseldi ve birdenbire yetişkin bir erkekten daha uzun boylu oldu. İki buçuk metre ve yarım tonluk bir ayı tüm öfkesiyle çocuklara kükredi. Ardından dört ayağını tekrardan yere indirdi ve saldırdı.

BÖLÜM 16

Tikaani çığlık attı ve kaçmak için döndü. Beck onu tuttu ve geri çekti.

"Yere yat!" diye çıkıştı. Kendini yere doğru fırlattı ve Tikaani'yi de aşağı doğru yanına sürükledi. "Ölü taklidi yap!"

Beck bir ayı ile birlikte bulunulabilecek en tehlikeli yerin, anne ayıyla ve yavrularının arası olduğunu biliyordu. Tehdidi ortadan kaldırmak ve yavrularını korumak için elinden gelen her şeyi yapardı. Bir metre uzunluğundaki adımlarıyla bir boz ayı, saniyeler içinde koşmakta olan bir insanı yakalayabilirdi. Tek umut ölü taklidi yapmaktı.

Hatırlamaya çalıştı... Tikaani'yle ne kadar zaman önce ayılar hakkında konuşmuştu? Uçaktan çıktıkları zaman olmalıydı. Sadece birkaç gün geçmişti.

Ancak o zamandan beri çok fazla olay olmuştu. Tikaani ne kadarını hatırlayacaktı ki?

Tikaani bir metre uzağında yerde yatıyordu. Yüzünün yan tarafını yerdeki çam ağacı iğnelerine bastırmıştı; rengi soluktu ve göz bebekleri korkuyla büyümüştü. Beck, Tikaani'nin, önünde yattığını fark etti. Kendi sıkı bir top gibi kıvrılmış ve elinden geldiğince fazla koruma sağlamıştı. Tikaani'ye bunu hatırlatamadı çünkü şu an bu riski alamazdı. Eğer ayı onu hareket ederken görürse bir bez bebekmiş gibi fırlatırdı.

"Seni dürterse ve birazcık hırpalarsa dahi" diye seslendi Beck. "Hareket etme, sadece orada yat." Tikaani başıyla onaylamadı ama Beck, onun dehşete kapılan gözlerinden anladığını görebiliyordu.

Beck verdiği tavsiyelerin söylemesinin, yapmasından çok daha kolay olduğunun farkındaydı. Fakat tüm elinden gelen bu kadardı.

Ayı üstlerine doğru yaklaştı. Gölgesi güneşi ortadan sildi.

Ağacın ana dalı kadar kalın bir bacak aralarında bulunan zemini ezdi.

Çam iğneleri ve böcekler kalın, keçe gibi kürke yapışmışlardı ve çok yoğun bir hayvan kokusu baskındı. Sonra ayı hareket ederken bacağını tekrar yukarı kaldırmıştı. Beck onun çevrelerinde döndüğünü hissedebiliyordu.

Aniden Beck'in bakışları arasında Tikaani geriye doğru sarsılmıştı. Beck dudağını ısırdı, arkadaşı için haykırmak istiyordu. Fakat Tikaani sessizce kaldı ve Beck, ayının sadece karşıdan ne tepki geleceğini görmek için sırt çantasına bir pençe atmış olduğunu tahmin etti. Tikaani zarar görmemişti. Hareketsiz duruyordu ve ses çıkarmadı.

Ayı yüzükoyun yatmış olan çocuğun üzerinden yürüyerek geçti ve Beck'i incelemek için başını eğdi. Vhoff. Nefes alıp verirken burun delikleri genişliyordu. Nefesi bir çift körük gibiydi. Beck tamamen hareketsiz uzandı. Acaba ayı kalp atışlarını duyabiliyor muydu? Onun için çıkan sesler davul ve bas karışımına benziyordu.

Ayı bir pençesiyle, Beck'in bazen banyodayken örümcekleri dürtmesi gibi hafifçe iteledi.

Beck bütün içgüdülerine direndi ve elinden geldiğince hareketsiz kalmaya devam etti. Ayının dudakları geriye doğru çekildi, sararmış olan uzun ve sivri dişleriyle herhangi bir ipucu arıyordu. Bir tepki vermesi için kışkırtmaya çalışıyordu ve homurdanarak onu tekrardan dürttü. Beck azimle ölüyü oynadı.

Koca kafası öne eğildi ve ön dişleriyle ceketinin kolunu yakaladı; derisini birkaç santim ile kaçırmıştı. Beck hareket etmedi. Göğüs kafesi sıkı bir şekilde genişledi ve fark etti ki nefesini tutuyordu. Ayı fark etmeden acaba nefesini verip yenisini alabilir mi diye merak etti. Sonra ayı kafasını salladı ve Beck de onunla birlikte sallandı, kıyafetinin kolunu çenesiyle sıkıca kavramaya devam etti. Ona yardımcı olamazdı. Soluk soluğa kaldı ve onu yere bıraktığı zaman düşüşünü yavaşlatsın diye bir elini yere koydu. Kendi kendine sövdü, yerde elinden geldiğince düz uzanıyordu ve eskisine göre daha da gevşek olmaya çalıştı. Ayı hareket ettiğini fark etmiş miydi? Bunu bir meydan okuma olarak kabul eder miydi?

Burnunu başının yanına koydu ve hırladı. Nefesindeki sıcak ve çürümüş et kokusu onu baştan aşağı yıkadı. Beck gözlerini kapattı ve çaresizce ısırık için bekledi.

İğrenç nefesinin rüzgârı birdenbire kesildi. Beck gözünün önüne getirebiliyordu. Ayı kafasını geriye çekmiş, ağzı açık üstüne atlamak için hazırlanıyordu.

Fakat hâlâ hiçbir şey olmamıştı. Aniden çevresinin boş olduğu duygusuna kapıldı. Beck tek gözünü hafifçe araladı sonra geri kalanını da açtı. Ayı gitmişti.

Şaşırtıcı derecede sessiz adımlarla, çam ağacı iğnelerinin üzerinde hareket ederek çoktan kamp alanının diğer tarafına geçmişti. Açıkçası çocukların tehdit olmadığına karar vermişti. Yavru ayılara yol gösterirken bu sefer farklı bir hırıltı sesi duyuluyordu. Beck tercüme etti: "Daha önce size insanlarla oyun oynama hakkında ne söylemiştim?"

Sonrasında anne ve yavrular tamamen gittiler.

Çocuklar birkaç dakika daha oldukları yerde kaldılar. Tikaani Beck'ten talimat bekliyordu. Sonunda, Beck ayının geri dönmeyeceğinden kesinlikle emin olduğu zaman ayağa kalktı. Tikaani de aynısını yaptı. Birbirlerine baktılar. Sonra tek bir kelime etmeden bu açık alandan çıkmak için yola koyuldular.

"Ayıların karakteristik yapısına göre hareket ediyoruz." dedi bir süre sonra Beck.

"Pantolon kirleten." dedi hisli bir şekilde Tikaani.

Beck yere düşmüş küçük bir dalı aldı ve yakınındaki ağaca sertçe vurdu.

"Oraya geliyoruz!" ağaçların içine doğru seslendi.

"Bizi yok say!"

Böylece yüksek sesle konuşarak masum ayılar için bir uyarı olarak bol bol ses çıkardılar ve Anakat'a doğru yöneldiler.

Tikaani yaklaşık yarım saat sonra aniden, "Ben de aynısını yapardım." dedi.

Beck ona doğru merakla baktı. "Nasıl yani?"

Tikaani baş parmağını sallayarak omzunun üstünden geride bıraktıkları yolu gösterdi "Anne Ayı'nın orada yaptığını yapardım. O boş alan çocuklarının oyun odasıydı. İki yabancı senin evine öylece girselerdi, senin de tepen atmaz mıydı?"

Beck, düz bir ifade ile; "Rahatsız olduğumu belli ederdim." diye onayladı.

"Burası onun evi." diye devam etti Tikaani. Sonra daha sessiz ve insanda bir merak uyandırarak tekrarladı: "Burası onların yuvası. Birinin evine öylece yürüyerek girmeye kimin hakkı olabilir ki?"

Beck ona saygı ile baktı. Bu öylesine bir konuşma değildi. Tikaani'nin sözlerinin ardındaki kızgınlığı hissetti. Hedefindeki acaba Lumos Petrol'müydü diye merak etti.

Petrol şirketini günlerdir hiç düşünmemişti. Akıllarında hep başka şeyler olmuştu, mesela hayatta kalmak gibi. Ancak sonuçta eğer Lumos olmasaydı bunların hiçbiri yaşanmazdı. Anakat'a yaklaştıkça, şirket hakkındaki düşünceleri geri geliyordu.

"Hiç kimsenin." dedi.

"Hiç kimsenin." diye onlayladı Tikaani. Ardından kendi kendine bir daha tekrarladı. "Hiç kimsenin."

Başka ayı görmediler. Ancak bir noktada Beck, ağaçların arasından bir şey gördü; kısa bir gölge, zemini kucaklayan, kolayca yer değiştiren ve rotalarına paralel. Neredeyse kahkaha attı. "Peki, sen de gel..." diye mırıldandı kendi kendine.

Eski dostları olan hayalet kurt onlara tekrar katılmıştı.

Yoksa eski dostları değil miydi? Belki de Alaska'nın bu kısmı kendi başına dolaşmayı seven kurtlarla doluydu. Bu ihtimal, bir kurdun onları uçak kazasından beri izliyor olmasından daha olası görünüyordu. Nehri geçti, dağları aştı, geceyi kar fırtınasında geçirdi ve bir sal kullanarak onları takip mi etti?

Ancak Beck, yolculukları boyunca kurdun varlığını kafasından bir türlü uzaklaştıramamıştı.

"Ne dedin tekrar söyler misin?"

Beck arkadaşının vahşi doğaya yeterince alıştığına karar verdi. "Yemin edebilirim ki..."

Durdu. Kurt gitmişti ve Tikaani çok garip bir şekilde ona bakıyordu.

"Yok bir şey" diye mırıldandı Beck. "Anakat'a ne kadar mesafe kaldı?"

Tikaani, parçalanmış ağaçlık farketmeden, "Geldik bile." dedi.

İç taraflara girmeleri biraz zaman aldı.

Deniźden başlayarak yeryüzünün ve kayaların oluşturduğu dik bir eğim ile oluşmuş körfezin yanında bulunuyorlardı. Dışarıya doğru daha geniş bir koyun içine açılıyordu ve buradan aşağıya doğru eğimi takip edince Anakat hemen sahilde bulunuyordu.

Beck ne beklediğinden tam olarak emin değildi.

Tikaani'nin anlattıklarında neredeyse onları ren geyiği derisinden yapılmış geleneksel çadırları ve kamp ateşleri olan bir topluluk olarak hayal etmişti. Anakat o kadar da geride değildi. Beck, geleneksel adetlerin sürdürülerek makul derecede bir rahatlığa da sahip olunabileceğine karar verdi. Eğer ağaç evler, hayvan derisi çadırlardan veya iglolardan daha sıcak tutacaksa, o zaman ağaç evde yaşardınız. Eğer elektrikle ışıklandırma, yağ yakan gaz lambalarından daha kolaysa; o zaman elektrikli ışıklar kullanırdınız. Anak modern dünyadan işine yarayacak olanları özenle seçmiş ama modern dünyanın kendilerine hükmetmesine izin vermemişti. Geleneksel hayatlarını bu yüksek ve soğuk enlemde yaşayabilmek için yalnızca gerekli olabilecek şeyleri almışlardı.

Anakat, ağaç evlerin geniş bir bölgeye yayılmasıydı. Sanki dev birer oyuncak ev gibi duruyorlardı; kışları üstündeki karı dökmek için dik ve sivri çatıları olan basit dikdörtgenlere benziyordu. Onları soğuk zeminden uzak tutmak için alçak taş yığınlarının üzerine inşa edilmiş ve kırmızı, yeşil, mavi renklerinin tonlarıyla boyalıydılar.

Tek süslemeleri buydu. Burası komşuların birbirleriyle, evlerinin güzelliği için yarıştığı bir köy değildi. Aralarındaki yollar çamur ve çakıl taşlarıyla kaplıydı. Beck, su kenarındaki tütsü ızgaralarının üstünde asılı duran koyu gümüş renkli balıkları ayırt edebiliyordu. Yerel halkın tekneleri küçük bir iskeleden bağlıydı ve Beck çıkarttıkları dalgalarla önlerindeki yolu yaran birkaç kano gördü.

Çocuklar eğimden aşağıya köye doğru ağır adımlarla yürüdüler. Beck'in kulaklarındaki tuhaf kükreme sesi, aklındaki tüm düşünceleri tek bir tarafa odaklamasına neden oldu. Neydi o? Rüzgâr değildi. Herhangi bir mekanik ses ya da modern dünyaya ait bir ses de değildi...

Sonra Anakat'a yaklaştıkça fark etti. Burada çağımıza ait bir ses yoktu. Motorlu araç yoktu. Müzik yoktu. Uçak yoktu. Tabii ki vahşi doğadaki hayat nasılsa aynısıydı.

Ancak Beck medeniyete geri döndüğünde bunların hepsini geride bırakmış olacaktı.

Şu an için erkendi. Anakat zaman kavramı olmayan huzurlu bir tabloya benziyordu. Bir evin dışında bulunan park halindeki yıpranmış aile arabasını ve yandaki uydu antenini saymazsak, burası son iki yüz yıllık zaman diliminde herhangi bir ana ait olabilirdi.

Tikaani körfezin girişini işaret ederek, "Burası havaalanı." dedi. Tahta bir köprünün sonundan itibaren uzak tarafta bulunan arazi düzdü ve esintiden beslenen turuncu bir rüzgâr ölçer dönüyordu.

"Varacağımız yer burası. Ayrıca burası da... benim evim."

İçerisinde sıcak yemeklerin piştiği türden şirin bir evdi. Dev oyuncak evlerden bir diğeri olarak süssüz ve sadeydi; verandası veya balkonu yoktu. Girişe yönlendiren basamaklar bir çift beton bloktan oluşuyordu. Kapı sıkıca kapatılmıştı ve pencereler doğrudan duvarın içine, kare şeklindeki çerçevelere yerleştirilmişti. Ağaç işleri birkaç yüzyıl önceki tekniklerle yapılmış olabilirdi ama Beck bu evin güneydeki birçok modern eve göre daha az rüzgâr aldığına ve üstelik çok daha konforlu olduğuna iddiaya girmeye hazırdı.

Kapı açıldı ve bir kadın dışarıya doğru adımını attı. Kot pantolon giymişti ve üzerinde kırmızı kareli bir palto vardı. Arkasındaki biriyle çılgınca konuşuyordu. Hâlâ evin içinde duruyordu ve gidecekmiş yöne bakmıyordu.

"Ona, radyoyu denemeye devam etmesini söyle..."

Etrafında döndü ve onları görünce olduğu yerde durdu. Şok etkisi genişçe yüzüne yayıldı.

"Hey." Tikaani aniden mahcup göründü. Elini hafifçe salladı. "Selam anne."

BÖLÜM 17

Beck Anakat toplantı salonunda bulunan yüzlerce kişiden oluşan kalabalığa baktı. Bina ağzına kadar doluydu. Yaklaşık iki yüz tane kafa, ona ve Tikaani'ye doğru dönmüştü. Aynı anda hem sakin hem de hevesli olmayı bir şekilde başaran Eskimo yüz hatlarına sahiptiler.

"Yazıp duvara asamaz mıyız?" diye arkadaşına fısıldadı Beck. Bu, hikayelerini ilk anlatışları olmayacaktı ve muhtemelen son da değildi ancak en çok izleyici kitlesine kesinlikle şu an sahip olmalıydılar.

"Hayır." diye geri mırıldandı Tikaani. "Ayrıca sanırım, internette blog da açamayız..."

Ahşap salon eski ve yeni karışımı, ender bir yapıya sahipti. Elektrikli aydınlatma vardı, ampul biraz titrekti ve bu Beck'e, bir zamanlar jeneratörün dandikliği hakkında Tikaani'nin söylediği şeyleri hatırlatmıştı. Salonun zemini kuruydu ve toprak ile doldurulmuştu. Kısmen modern dünyaya ait konaklama yöntemlerine başka bir örnekti bu.

Hâlâ birçok açıdan eski formları koruyorlardı. Bir kere Beck, her şeyden önce bu tarz toplantılarda Anak halkının büyük bir ateş yakarak, çevresinde toplandıklarını tahmin ediyordu. Şu an ise herkes dairesel bir sıra halinde oturmuştu ve hepsi aynı anda Tikaani'nin babasına yani Anakat şefinin konuştuğu odanın merkezine doğru bakıyorlardı. Beck ve Tikaani, tam arkasındaki koltuklarda oturuyorlardı.

Yemek ve duş için zamanları olmuştu. Ayrıca Tikaani'nin temiz kıyafetleriyle üstlerini başlarını yenilemişlerdi. Beck'in en çok yapmak istediği şeyi yapmak için şu an zaman bulamamışlardı: uyumak.

Tikaani'nin evine vardıklarında her şey çok hızlı gelişti.

Kısa ve öz bir yardım çağrısı iletmeleri otuz saniyelerini almıştı: Al yaralı, bu koordinatlarda ve yardıma ihtiyacı var. Mesajı bitirdikten sonra Tikaani'nin babasının uydu telefonu çalmıştı. Dışarıdaki dünya ile temasta kalmak için Anakat'taki en iyi yöntemdi, uyduruk el telsizlerini saymazsak, Bethel'deki birileriyle konuşuyordu. Beck'in Bethel ile ilgili hatırladığı, sahilden yaklaşık yüz elli kilometre içeride bulunması ve buraya en yakın ve en büyük kasaba olmasaydı.

Annesi Tikaani'ye ölümüne sarılmıştı. Beck onlara baktı ve eve geldiğinde bir aile tarafından karşılanmanın nasıl bir şey olduğunu hayal meyal aklına getirdi. Kadın oğlunu bırakıp bu seferde onu çekti ve nefes almasına engel olacak kadar sıkı sarıldı. Bu arada Tikaani daha yaşlı bir kadın tarafından boğuluyordu. Tikaani'den daha kısa boyluydu. Uzun saçları beyazlamış ve yüzü kırış kırıştı. Tikaani'nin büyük annesi olarak tanıştırıldı.

Beck'in elini tuttu ve yüzü geniş bir gülümsemeyle aydınlandı.

Tikaani'nin annesi, aceleyle sıcak çorba ve dürüm hazırlarken uydu telefonu çaldı.

Tikaani'nin babası telefona baktı, "Bethel'dan arıyorlar" dedi. "Bir doktor ile birlikte helikopter havalanmış, amcanı almak için yoldalar."

Beck, bu sözler ile birlikte çarpışmadan beri onu ayakta tutan kanındaki adrenalini çekildiğini hissetti.

Ancak hâlâ beslenmeye ihtiyaçları vardı. Böylece Beck ve Tikaani, ağızları çorba ve dürüm ile doluyken başlarından geçen maceralarını anlattılar.

Nehri yürüyerek geçmelerini, Tikaani'nin donmuş göldeki başarısızlıklarını ve çatlaklardan geçişlerini anlattılar. Tikaani'nin annesi bu noktada araya girdi.

"Yaşlıların bunları duyması lazım." diye Tikaani'nin babasına söyledi.

Gururla kafasını salladı. "Tabii ki. Fakat hepsini ilk önce ben duymak istiyorum."

Yaşlılar mı? Beck bu kelimenin anlamını, bütün hikâyeyi en başından beri bir grup sıkıcı emekli insana anlatmak zorunda kalacakları olarak algılamıştı. Tikaani'ye doğru yan bir bakış attı.

Ardından Tikaani omuzlarını dikleştirdi. Biliyordu. "Göreceksin..." dedi.

Çocuklar hikayelerine devam ettiler. Tikaani'nin ailesine, geçidi bulamadıkça artan hayal kırıklığından bahsediyorlardı.

Tikaani'nin büyük annesi oturuşunu düzeltti ve ilk kez konuştu. Bilge bir şekilde, "Beyaz Kurt Geçidi" dedi. Ardından soru sormadı ancak bir durumu belirtir gibi devam etti, "Tikaani onu buldu."

"Şey, evet. O buldu." diye onayladı Beck.

Başını salladı ve gülümsedi. "Kurtlar dağların koruyucularıdır, Beck Granger. Kış ve bahar aylarında karların yoğun olduğu zamanlar, Beyaz Kurt Geçidi tek yoldur. Fakat kurtlar tarafından seçilenler sadece bu yolu bulabilir çünkü gizlidir."

"Hmm... evet. Doğru." Beck onayladı.

Kurdu veya kurtları mıydı? Hatırladı. Yolculukları boyunca aralıklarla görünüp kaybolmuştu. Ya da o öyle sanmıştı. Evet, kurtların onlara ayrıcalık göstermiş olduklarını kabul edebilirdi ve sadece iyi olduklarından emin olmak için onlara eşlik etmişlerdi.

Tikaani'ye tekrar bir bakış attı. Tikaani utangaç bir gülümseme ile karşıladı. Beck şunu biliyordu ki; arkadaşı bir zamanlar, hatta sadece birkaç gün önceye kadar, büyükannesinin sahip olduğu eski inanışlarıyla veya eski ruhlar hakkındaki düşünceleriyle alay ederdi. Yalnızca birkaç ay öncesine kadar herhâlde Beck için de pek bir anlamı olmazdı. Fakat Kolombiya'dayken ruhlar hakkında zor yoldan bir şeyler öğrenmişti. Şimdi ise sıra Tikaani'ye gelmişti. Arkadaşı, atalarının yaşam tarzına saygı göstermeyi öğrenmişti. Bunlar sizi hayatta tutabilecek şeylerdi. Ayrıca bunlar sayesinde atalarının inançlarını anlayabilmişti.

Fakat en büyük sürpriz henüz gelmiş değildi.

KURT YOLU

"Sana söylemedim mi, oğul?" Yaşlı kadın Tikaani'nin babasıyla konuşuyordu.

"Çocuğun adını koyduğumuz zaman sen bana onun koruyucusu kim olmalı diye sormuştun ve ben de--"

"Evet anne." adam yüzünde sabırlı bir gülümseme ile onayladı. "Evet, sen demiştin."

Beck herkesin yüzüne teker teker bakıyordu, anlamamıştı. Nihayet bir açıklama duymak için Tikaani'ye döndü.

"Tikaani, bizim dilimizde 'kurt' anlamına geliyor." Arkadaşı ağzına dürümü sıkıştırırken homurdanarak konuşuyordu. "Sana söylemedim mi?"

Beck şaşkınlıkla ağzı açık bir şekilde bakakaldı sonra ağzını kapattı. "Hayır." sonunda şaşkınlığını üstünden atmıştı, "Söylemedin."

Tikaani dik oturdu ve dürümünü yuttu. Sonra öne doğru eğildi. "Aslında," kendine güvenerek devam etti, "Birkaç kez kurt gördüğümü düşündüm ama sen oldukça endişeli göründüğünden dolayı sana bir şey söylemedim..."

Tikaani'nin babası salondaki insanlara Anakça ve İngilizce karışımı bir dille sesleniyordu. En sonunda, yüzünde geniş bir gülümseme ile çocuklara doğru döndü.

Öne doğru bir adım atarak hikayelerine başlamaları için eliyle davet etti. Tikaani bir elini Beck'in kolunun üstüne koydu.

"Sorun değil. Bana bırak."

Beck'in arkadaşının sesinin tonunda tuhaf bir şey vardı. Beck'in kafası biraz karışmış Tikaani'yi izliyordu. Tikaani ileri doğru bir adım attı ve kollarını havaya kaldırdı.

"Tikaani, Kunuk'tan olma, Panigoniak'tan doğma. Sadece Kuzey Amerikalıların (Yanki'ler) dilini konuşabildiğim için beni affedin."

Bu son kısmı köyün en yaşlı olan erkeklerinin ve kadınlarının oturduğu ilk sıraya doğru söyledi. Erkekler ve kadınlar birbirine benzer uzun gri saçlara sahiptiler. Ayrıca yassı yüzleri kırışıklıklarla derince oyulmuştu. Tikaani'ye karşılık olarak içlerinden bazıları, ifadesiz suratlarıyla kafalarını hafifçe öne doğru salladılar, sanki gönülsüz bir şekilde konuşması için ona bu seferlik bir ayrıcalık tanıdılar.

"O daha genç." Konuşulanları duyabiliyorlardı. "Elbette sadece İngilizce konuşur. Düzgün bir şekilde dilimizi öğrenmek için hâlâ çok fazla zamanı var."

Tikaani uçağın motoru çöktüğü andan itibaren yaşadıkları serüveni anlatmaya başladı.

Beck sandalyesinin arkasına yaslandı. Tikaani hikâye anlatımı konusunda Allah vergisi bir yeteneğe sahipti. Birlikte karşılaşmış oldukları her bir durum için hissettiklerini, tekrar orada yaşayarak insanları o ana yeniden götürebiliyordu. Konuşmasında sanki bir ritim vardı. Doğal akışı sizi sürüklüyordu. Bu tıpkı şey gibiydi... Beck hafızasını zorladı... Sanki bir şarkı gibiydi.

Aniden Beck neler olduğunu fark etti. Bunların hepsi yaşanmadan önce, pilot Anakat'ın sözlü geleneklerinden bahsetmişti. Buydu işte! Tikaani, köyün tarihine borçlu olduğu en son taksidi sözlü olarak ödüyordu. Yaşamış oldukları macera, yüzyıllar önceye dayanan organik bir sesli kitabın içindeki en yeni bölüm oldu. Bu öylesine bir konuşma değildi. Bu bir açık yayındı; üstelik ön sıradalarda oturan bu yaşlı insanlar sadece saygı duyulan kimseler değil, bu açık yayını kaydeden köyün iPod'larıydı.

Beck şimdi büyülenmişti. Tikaani bu yaptığının ne olduğunu acaba hiç düşünmüş müydü diye merak etti. Anakat'ta doğup büyümüş olmasına rağmen bir zamanlar bu yerlere sırtına dönmek için kararlıydı.

Şu an ise tıpkı bir ördeğin kolayca suya dalması gibi içine dalmıştı. Bu Anakat'a olan borçlarıydı. Uçağı terk edişleri, dağlardan tırmanışları ve nehirden aşağıya salla inişleri... Hikaye çevrelerinde birikmişti. Şimdi ise köyün tarihine aktarılmaktaydı.

Beck, sonra belki biraz olsun uyuyabileceklerini düşündü...

Tikaani yolculuklarıyla ilgili yaşadıklarını, tüm detaylarıyla dümdüz bir şekilde aktarmasını bitirirken, en son çocukların evlerinin ön kapısına varmış oldukları noktaya ulaştı ama yerine oturmadı. Bir süre ayakta öylece dikildi, yere bakıyordu. Ardından kapanış sözlerini iletmek için kafasını kaldırdı. "Beck sayesinde, toprağın beni nasıl besleyeceğini ve koruyacağını öğrendim. Kontrol edemediğim güçlere saygı göstermeyi ve sahip olduğum güçleri kullanmayı öğrendim. Toprakla savaşırsanız sizi öldürebileceğini – ama onunla çalışıp, onu anlarsanız; toprağın size güç vereceğini öğrendim."

Mahcup ve acı bir gülümsemesi vardı. "Bunlar bana malum olmasaydı hiçbiriniz bilemeyecektiniz. Şimdi artık biliyorum."

Aniden köylüler tarafından onaylandığını ifade eden yükselen uğultular ve kafa sallamalarıyla beraber yerine oturdu.

Anak standartlarına göre durumu değerlendiren Beck, bunun coşkulu bir alkış dalgası olduğunu varsaydı. Tikaani'ye doğru eğildi.

"Çok iyiydin." diye fısıldadı.

Tikaani parlayan gözleriyle ona doğru baktı. "Teşekkür ederim."

Daha sonra Tikaani'nin ailesi ve iki çocuk yavaşça evin yolunu tuttular. İnsanlar gelip Beck ve Tikaani'niyle tokalaşmak istedikleri için eve varmaları biraz zaman aldı.

Uyku zamanı! Diye düşündü. Uyku, uyku, uyku...

Ancak ilk olarak, Tikaani'nin babası helikopteri kontrol etmek için Bethel'ı yeniden aradı.

Telefonu kapattı ve Beck'e doğru döndü ve gözlerinin içi parladı.

"Al'ı almışlar ve durumu iyi." dedi, yüzünde geniş bir gülümsemeyle. "Aslına bakarsan durumu o kadar iyiymiş ki, buraya uğrayarak seni almaya geliyorlar. Yaklaşık yarım saat içinde burada olurlar."

KURT YOLU

Helikopter Anakat üzerinde alçaktan uçtu. Dev bir eşek arısı gibi havada asılı kaldı. Motorun gücü pencerelerin çerçevelerini sallıyordu.

Beck, Tikaani, Tikaani'nin ailesi ve Anakat'ın yaklaşık yarısı helikopterin iniş yapmış olduğu kıyıya doğru ilerliyorlardı. Helikopterin pervanesinin yol açtığı şiddetli rüzgârın havaya savurup bir bulut halinde etrafa püskürttüğü kumlar Beck'in gözlerine kaçtı. Motorun kapandığı anlamına gelen ses perdesindeki değişimi duyana kadar geride durdu. Helikopterin pervanesi kafasının üstündeki havayı hâlâ savurmasına rağmen kafasını aşağıya eğerek ileriye doğru koştu. Uçağın kapısını açtı.

Al Amca karşısındaydı! Kabinin tabanında, sedyenin üstünde battaniyeye sarılı uzanıyordu. Başındaki asistan doktor gözlerinin içine bakıyordu. Kolunda serum vardı ve yüzü soluktu. Ancak sıcak gülümsemesini gizleyecek herhangi bir engel yoktu.

"Beck!" Sesi, ölmekte olan motorun sesinden az daha yüksekti ama titrek bir şekilde duymaya yetecek kadar geliyordu. "Tikaani, tabii ki sana da. Teşekkür ederim çocuklar, çok teşekkürler..."

Bu esnada Beck bir adam sedyeye bağlıyken olabilecek en iyi şekilde ona sarılmıştı bile.

Doktor konuştu. "İki dakika." Çocuklara doğru kaşlarını çattı. "Aslında onu doğrudan hastaneye götürmek istedim. Bu güzergâh değişikliği için para teklif etmiş."

İki dakika! Çocuklar birbirlerine baktılar. Buraya varabilmek için birlikte çok uğraşmışlardı.

Şimdi Beck birdenbire gözden kaybolmak üzereydi. Bu durum tuhaf hissettirdi. Haksızlıktı.

Bir arkadaşınızın hayatında bu şekilde öylece kaybolmamalıydınız. Ancak elbette ki...

"Geri döneceksin." Tikaani'nin gülümsemesi cesurcaydı.

"Tabi." Beck buruk bir şekilde gülümsedi. "Elbette. Yani sonuçta hâlâ birlikte çekmemiz gereken bir belgesel var, öyle değil mi?

"Üstelik bu giydiklerin benim kıyafetlerim."

"Haklısın. Geri dönmek için başka bir nedene daha gerek yok."

Tikaani sırıttı. "Kesinlikle!"

Beck'in elini sıktı ve sonra kabinin dışına çıktı. Ailesinin yanına katılmak için uzaklaştı. Beck boş yerlerden birine oturup pencereden dışarı baktı. Pilot kabin kapısının tam kapatıldığından emin olmak için kokpitten dışarıya çıktı. Ardından geri içeri girdi ve motor tekrar güç toplamaya başladı. Makina körfezin üstünden Anakat'tan geri dönmek için havaya yükselirken Beck arkadaşına el sallıyordu.

Kara parçası onların altında alçalıyor gibiydi. Köy ve körfez, sonsuz bir köknar ağacı örtüsüyle birleşmişti. Beck ve Tikaani'yi öldürmek için elinden geleni yapmış olan dağlar sadece resmedilmeye değer bir arka plan olarak kaldılar. Her şey altın rengi güneşin altında ışıldıyordu ve Beck gözlerinin ağırlaştığını hissetti.

Anakat'ın gittiğini görmek istemedi. Ancak gözlerini kırptığı zaman aniden onu kaybetmişti. Nereye gitmiş olabilirdi? Körfezin yerini tekrar saptaması biraz zaman aldı. Evlerin kümelendiği yer aniden ufacık gözüktü. Uzun bir göz kırpış olmalıydı diye düşündü ve başka bir tanesinin daha geldiği hissedebiliyordu. Beck kendine kendine eğer gözlerini kırpman gerekiyorsa bunu hızlıca yapmalısın diye telkin etmişti.

Böylece gözlerini kapattı ve bir daha açtığı zaman Bethel'daki hastanenin iniş pistinin etrafında daireler çiziyorlardı.

BÖLÜM 18

Film ekibi pozisyonlarını alırken Tikaani de rahatsız bir şekilde bir ayağını diğerinin üstüne attı.

Bir adam omzunda tuttuğu kamerayı hizalayarak kameranın merceğini Tikaani'nin yüzüne odakladı. Sesçi uzun bir sırığın ucuna bağlı mikrofonu Tikaani'nin kafasının biraz üstünde, kameranın görüş açısının dışında tutuyordu. Ayrıca sunucu otuzlu yaşlarında Joanne adında neşeli bir Amerikalı kadındı ve elini kaldırdı.

"Hazır mısın?"

"Hazırım." dedi Tikaani.

Arkasındaki körfezin suları parlıyordu. Katil balinaların oluşturduğu bir sürü yüzeyi yararak sprey şeklinde su püskürtüp mavi gökyüzünü selamlıyorlardı.

Çok güzeldi. Fakat Beck nefesini tutmuş kameranın arkasında duran sessiz kalabalık ile birlikte ayakta bekliyordu. Bu Tikaani'yi üçüncü kez yakın çekime alışlıydı. İlkinde birisi hapşırmıştı. İkincisinde, Tikaani tökezlemişti ve sözlerini karıştırdı. Beck balinaların çekimi bozmuş olmayacağını ümit etti. Basit bir röportajın bile bu kadar çok iş yükü olduğunu bilmiyordu.

KURT YOLU

"Ve Tekrar... başla."

Tikaani kameraya doğru gülümsedi. "Demek istediğim," diye başladı söze ve devam etti. "Paha biçilmez bir tabloyu sırf tahtası istediğiniz için parçalamazsınız, öyle değil mi?" Kelimeler başlarda kulağa biraz yapmacık geliyordu. Sonuçta Tikaani doğuştan bir aktör değildi. Ancak sonrasında hakiki bir öfke ve tutku patlaması sesine yayılmaya bailadı.

"Öyleyse neden?" yarım dönerek Körfezi, Anakat'ı ve arkasındaki vahşi yaşamı işaret eden bir el hareketi yaptı "aynı şeyi burası için yapıyorsunuz?"

Yüzünü tekrar kameraya döndü. "Alternatif enerji kaynakları var. Yenilenebilir enerji var. Fakat bu kendini yenileyemez. Üstelik bir defa yok olursa, sonsuza kadar yok olur."

"Ve... Kestik!" dedi Joanne. "Harika Tikaani. Bunu kullanacağız. Akşam altı haberlerine yetiştirebiliriz."

Tikaani sırıttı. Salınarak Beck ve Al'ın yanına geldi. "Selam yabancılar."

Yüz yüze görüştüklerinden beri bir hafta geçmişti. Çocuklara daha uzun gibi gelmişti. Telefonda konuşmuşlardı, telefon ile görüntülü bağlanarak birlikte röportaj bile vermişlerdi, fakat hepsi bu kadardı. Beck arkadaşını ne kadar çok özlemiş olduğunu fark etti.

"Bu çok iyiydi. Gerçekten de çok iyi." dedi Al. Televizyon programı yapımcılığına yabancı olmayan birisiydi. Beck, amcasının övgü dolu sözlerinin Tikaani için büyük bir anlam taşıdığını görebiliyordu.

"Şey, evet, ısınmaya başladım..." diye mırıldandı. "Daha yeni mi geldiniz? Yaklaşık on dakika önce gelenler siz miydiniz?"

Beck ve Al helikopter ile henüz inmişlerdi. Tikaani'yi bulmaları çok zor olmamıştı. TV ekiplerinin oluşturduğu kuyruğu takip etmişlerdi.

"O bizdik." diye onayladı Beck, ve Tikaani eski sırıtışından çaktı.

"CBS kanalına seslenişimi yarıda kestiniz."

"Bak sen, tüh be!" dedi Beck. "Çok üzüldüm." Köye doğru yöneldiler, Al değnek yardımı ile sekiyordu.

"Bethel'dayken sizle de röportaj yaptılar mı?" diye sordu Tikaani.

"Evet, beş veya altı muhabire konuşmuş olmalıyım." dedi Beck. Fakat asıl hikaye Tikaani'deydi. Neredeyse bütün haber bültenlerinde arkadaşını görmüştü. Tikaani onu hiç görmüş müydü? Hayır, fark etti ki elbette görmemişti.

Tikaani son haftayı Anakat'ta geçirmişti, orada televizyon yoktu.

"Kendi film ekibiniz ne zaman burada olur?" dedi Tikaani.

"Bu öğleden sonra." dedi Al.

"Nihayet kendi belgeselimizi çekebileceğizü, fakat şu an için ihtiyacımız olduğuna emin değilim."

Bir an, Tikaani yıldırım çarpmış gibi baktı. "İhtiyaç yok mu? Niçin olmasın?" Cidden yüzünün rengi atmıştı.

"Görünen o ki Anakat çoktan onun için konuşacak birine kavuşmuş."

Tikaani alnını çattı. "Kim? Bence..." Gözleri uzaklara daldı ve yüzü kızardı. "Ah! Ben mi?"

Beck gülümsedi. Helikopterde buraya gelirken Al bu konudaki düşüncelerini ona söylediği için önceden biliyordu.

Beck ve Tikaani'nin aynı yerde birlikte kalıyor olmaması muhabirler için talihsizlik olmuştu. Ortak verilen röportajları zorlaştırmıştı. Yine de olay haber niteliğini kaybetmemişti.

KAHRAMAN GENÇLERİN AMCALARINI KURTARMAK İÇİN KAR FIRTINASI İLE SAVAŞLARI! Bu manşetlerden sadece biriydi.

Fakat ilginç bir şey olmuştu. Belki nedeni haberciler Anakat'a geldikleri zaman Tikaani'nin tek başına olmasıdır. Tikaani konsantre oldukları kişi olmuştu. Televizyonda her konuştuğunda Anakat'ın korunması hakkında biraz daha bilgi verdi. Şimdi ise haber şirketleri dağlardaki yolculuklarına kıyasla bununla daha çok ilgileniyor gibi gözüküyorlardı.

"Sen genç bir Amerikalı ve genç bir Anak'sın." diye açıkladı Al. "Her iki tarafta da ayağın bulunuyor. Her ikisini de anlıyorsun ve birbirlerini anlamaları için her iki tarafa da yardım ediyorsun. Bunları geçen haftadan beri gözlüyorum. Anaklar'ın çevre hakkındaki genç sözcüsü olmayı başarmışsın."

Tikaani'nin yüzü daha çok kızardı. "Ben... Olmak istemiyorum gerçekten. Benim sadece istediğim şey... Biliyorsun, eliyle genel olarak etrafı işaret etti, "Anakat'ı korumak..."

"Ah, bu sonsuza kadar sürmeyecektir." diye içten bir şekilde konuştu Al. "Sevgili medya asla buna devam etmez. Fakat ilgilerini çektiği sürece sen daha bir sürü güzel şey yapacaksın. Yapmaya başladın bile."

"Lumos'u durdurmak için yeterli mi?" diye sordu Beck.

Al omuzlarını dikleştirdi. "Kim bilir Beck? Kim bilir?"

Tikaani'nin evine geri döndüklerinde elinde uydu telefonu ile babası karşıladı. "Sizi arıyorlar, Profesör." dedi. "Yapımcınız."

"James mi?" Al kaşlarını çattı. "Ne istiyor? Şu anda helikopterde olması gerekiyordu." Telefonu aldı. "James? Ben Al. Neler oluyor?"

Kısa bir sessizlik oldu.

"Ne? Kim söyledi? Haklısın..."

Gözlerini çocukların üstünden çekti ve sanki mahremiyet ister gibi arkasını döndü. Al'ın iki metre kadar uzağında ayakta beklerlerken istediğini elde etmesi zordu.

"Teyit edebiliyor musun? Teyit edemiyor musun? Haklısın. Evet. İyi fikir... Evet, harika... İlgileneceğim. Güle Güle."

Telefonu kapadı ve bir süre olduğu yerde durdu. Derin bir düşünce içinde yüzü bulutlanmıştı.

Sonra cebinden bir not defteri çıkardı, yere oturdu ve yazmaya başladı.

"Çocuklar bana bir iyilik yapar mısınız?" dedi. Sayfayı defterden yırtarak kopardı ve Beck'e verdi. "Benden daha hızlı koşabilirsiniz. Bunu Tikaani'nin az önce konuştuğu hoş genç hanıma verin. Bütün çıkarlarımıza uyabilir."

Beck kağıdı aldı, içinde ne olduğuyla ilgili meraktan çatlıyordu. Al bir bakışıyla onu delip geçti.

"Git!"

Çocuklar gitti.

Film ekibi, onları bırakmış oldukları yerde bavullarını topluyorlardı. Joanne, Tikaani'ye az önce sormuş olduğu soruların aynısını sorarak kendini filme çekmekteydi. Böylelikle röportaj yayınlanacağı zaman soruları ve cevapları birleştirebileceklerdi.

"Selam millet." Joanne yüzünde bir gülümseme ile onları karşıladı. Eskimo kurallarından birini çiğnemişlerdi. Koşuyorlardı.

"Yangın mı var nereye böyle?"

Güldüler ve Beck elindeki kağıdı ona uzattı.

"Amcamdan." dedi.

Yan yan ona baktı. "Alan Granger? Bak sen. Belki de bana çıkma teklif ediyordur." Kağıdı kolay bir şekilde açtı. Hızlıca göz gezdirdi ve bir an duraksadı. Sonra daha dikkatli bir şekilde tekrar okudu. "Siz... Çocuklar bunun ne olduğunu biliyor musunuz?"

Kafalarını salladılar ve yüzlerinde muzip bir gülümseme yayıldı.

"Doğru ya." Arkasını döndü ve ekibinden birilerine seslendi. "Dave! Uydu telefonu, hemen şimdi... Size gelince çocuklar? Burada bekleyin. Amcanız bazı kontaklarımın sayesinde bir soru sormamı istiyor ve onun için bir cevap alabilirim..."

Telefonda söylemek zorunda olduğu şeyleri onların duyamayacağını söyledi. Beklemeleri gereken yer için hızlıca bir göz gezdirdiler. Beck birazcık sinirlenmeye başlıyordu...

Fakat beş dakika sonra Joanne istediği cevabı almış gözüküyordu. "Kesin olan bu mu?" diye sordu telefonda. "Yüzde yüz, hilesiz, garantili? Sana borçlandım. Sana çok borçlandım... Haklısın. Bu geceki şovda bana iki dakikalık zaman verin... Peki, görüşürüz." Telefonu kapadı ve ekibine doğru döndü. "Kamera! Mike!" diye seslendi. "Hemen şimdi, buraya gelin! Şimdi, çocuklar, lütfen orada öylece durur musunuz? Tikaani'nin daha önce olduğu yerde..."

"Bizimle röportaj mı yapacaksınız?" diye sordu Tikaani, coşkulu değildi.

"Emin ol! Anlayacaksınız..."

Böylece biraz kafaları karışmış Joanne ile yan yana durdular. Sırtları körfeze, yüzleri kameraya bakıyordu. Kameraman işaretini verdi ve Joanne mikrofona konuştu.

"Geçtiğimiz birkaç gün boyunca medyadan maceralarını dinlediğimiz çocuklar, Tikaani ve Beck, ile birlikte şu an burada, yani Anakat'ta bulunmaktayım. Onlara sizin de yeni duyacağınız bir haber vermek üzereyim."

Çocuklara doğru çok mutlu bir gülümseme ile döndü.

"Peki, Lumos Petroleum'un Anakat'a kurmayı planladığı tesisten vazgeçmiş olduğuna dair son dakika haberlerine tepkinizi öğrenebilir miyiz?"

Daha sonra Tikaani'nin evinde Al'ın belgeseli için gelen film ekibi ile buluştular. Yapımcı, Lumos Petroleum'un Anakat planlarını değiştirdiği yönündeki söylentilerin kaynağı olan sızdırılan basın açıklamasından bir kopya getirmişti. Ana salondaki masaya oturdular ve Beck yazıyı okudu.

"Sözcüleri, şirketin daha önce bir dizi ihtiyati tedbir hazırladığını doğruladı, bunlardan biri, tartışmalı rafinerinin inşasını ve tartışmalı bölgenin sakinlerini yani Anak halkının yerini değiştirmesini kapsıyordu. 'Bu eylem yoluna başvurmak için şimdilik bir ihtiyaç göremedik." diyerek devam ediyor,

"Jeolojik araştırmalar, Anakat çevresinin bu iş için bazı yönlerden uygun olmayabileceğini belirtti..." Beck aniden kesti okumayı. İçinde sevinç ve öfke birlikte büyüdü.

Sevinçten dolayı Tikaani'ye ve tabii ki Al Amca ve onunla birlikte herkesin ortaya koyduğu çabaya minnettardı. Kampanya meyvelerini vermişti. Öfke ise her zaman bir bahaneleri olduğundan dolayıydı.

"Yalancılar! Buraları komple kazmaya başlamaktı amaçları!" diye haykırdı Beck.

"Elbette niyetleri buydu." Beck'in elinde tuttuğu kağıdı nazik bir şekilde çekti ve hızlıca bir göz attı. Beck ondan yayılan keyifli halin sıcak parıltısını neredeyse görebiliyordu. "Fakat düşünsene, ne söyleyeceklerdi ki? Şirketin, bu iki kahraman genç herkes tarafından çok önemsendiğinden dolayı çekildiğini itiraf etmesi, geleceği için halkın gözünde gerçekten çok kötü bir izlenim oluşturmaz mıydı? Halkla ilişkiler çalışanlarına, dışarıdaki imajları için bir sürü para ödüyorlardır."

"Doğru." Beck ona katıldı. Fakat ağızda kötü bir tat bırakıyordu. Amaçları rafineri yapmaktı. Savaşı kaybettiler. Neden sadece kabul etmiyorlardı?

Al sessizce, "Beck, biz kazandık," dedi. "Aslında bu savaşı kazandık. Önümüzde daha birçok savaşlar olacak. Üstelik kim bilir belki ikinizin filmini bile çekerler. Şu an için, tıpkı sizin kuşağın deyişiyle 'cool.'

Beck resmen acı çekerek, "Hmm, evet anlıyorum." dedi. Al'ın bir daha asla yeni neslin jargonunu konuşmaya çalışmamasını diledi. "Bu herhâlde 'havalı' demekti, öyle değil mi?"

Al gözlerini kapadı ve sandalyesine yaslandı. "Bir süre dinlenmeye ihtiyacım var çocuklar. Gidip biraz eğlenin..."

Anakat'ın ana caddesinden aşağıya doğru gezerek dolaşmaya başladılar. Tikaani'nin konuşma yapmış olduğu yerdeydiler ve içeride şu an bir parti veriliyordu.

"Başardık," diye basitçe söze girdi.

"Evet," diyerek ona katıldı Beck.

Söylemeleri gereken tek şey buydu. İçerideki kutlama her şeyi anlatmaya yeterdi.

"Film demek, ha?" Tikaani, yürürlerken dalgın bir şekilde sormuştu.

Beck homurdandı. "Hı-hı. Elbette filme bir kız da koymak zorundalar. Romantik unsurlara ihtiyaçları olacaktır."

"Harbi mi?" Tikaani düşünceli bir şekilde ona doğru bakarak tek kaşını havaya kaldırdı. "Açıkçası, kızı kapacak olan benim."

Beck yan yan ona baktı. "Ancak. Rüyanda görürsün."

Tikaani sırıttı.

Samimi bir şekilde partiye doğru yürümeye devam ettiler. Lumos Petrol ile ilgili son haberler yayıldı. Salondan gelen kahkalar ve müzik sesi onlar yaklaştıkça artıyordu.

Sonra köyün sınırında ağaçların hemen arkasındaki bir şey Beck'in görüş açısındayken hareket etti. Yerden geçen bir gölge.

Tikaani ormana doğru bakan Beck'in kolunun üstüne elini koydu. "Hey, sen de gördün mü?"

"Hı-hı." Beck gölgenin nerede olduğuna baktı, sonra gülümsedi ve döndü. "Kurtlar hâlâ seni izliyor, Tikaani."

"Evet." Tikaani ağaçlara dikkatlice baktı. "Akıllarından neler geçtiğini merak ediyorum." Bir süre öylece bekledi sonra tekrar döndü. "Pekala, beni bulmaları için doğru yerdeyim. Evimdeyim."